IGNACIO LARRAÑAGA

SUBE CONMIGO

Para los que viven en común

XVIII Edición

SAN PABLO

Nada Obsta
Juan Manuel Galaviz H., SSP
Provincial de la Sociedad de san Pablo
México, D. F. 10-I-1990

Nada Obsta
Heriberto Jacobo M.
Censor
México, D.F. 27-I-l990

Primera edición, 1990
18ª edición, 2013

D.R. © 1990 by EDITORIAL ALBA, S.A. DE C.V.
Calle Alba 1914 - San Pedrito, Tlaquepaque, Jal.

Impreso y hecho en México
Printed and made in Mexico

ISBN: 978-970-685-132-1

Sube a nacer conmigo, hermano.
Dame la mano desde la profunda
zona de tu dolor diseminado.

Pablo Neruda

¡Qué cosa tan estupenda
cuando los hermanos
viven unidos
bajo un mismo techo!

Salmo 132

DESTINATARIO

Este libro fue escrito, primeramente, para los religiosos que viven en comunidad.

Fue escrito, también, para todos los cristianos que, en diferentes grados, están integrados en los grupos comunitarios como Comunidades Cristianas de Base, en los grupos juveniles, y en otras agrupaciones de laicos.

Las ideas y aportaciones de *Sube Conmigo* pueden ser transferidas casi en su totalidad –fuera de algunos apartados específicos– a la esfera matrimonial, primera comunidad humana, y, en general, el círculo del hogar.

* * *

En algunas páginas, he seguido el esquema del capítulo tercero de mi libro *Muéstrame Tu Rostro*.

El autor

Santiago de Chile, enero de 1978

Capítulo I

SOLEDAD, SOLITARIEDAD, SOLIDARIDAD

*Por su interioridad (soledad), el hombre
es superior al universo entero. A estas
profundidades (de sí mismo) retorna,
cuando entra dentro de su Corazón... (GS 14)*

*El hombre es, por su íntima naturaleza,
un ser social, y no puede vivir ni
desplegar sus cualidades, sin relacionarse
con los demás (GS,12).*

1. SOLEDAD

Viaje al interior

Quien no sabe decir "yo", nunca sabrá decir "tú". Perdonar a los demás es relativamente fácil. Perdonarse a sí mismo es mucho más difícil.

Es imposible descubrir y aceptar el misterio del hermano, si antes no se ha descubierto y aceptado el misterio de sí mismo. Los que siempre se mueven en la superficie, jamás sospecharán los prodigios que se esconden en las raíces. Cuanto más exterioridad, menos persona. Cuanto más interioridad, más persona.

* * *

Yo soy yo mismo. En esto consiste, y aquí está el origen de toda la sabiduría: en saber que sabemos, en pensar que pensamos, en captarnos simultáneamente como sujeto y objeto de nuestra experiencia.

No se trata de hacer una reflexión autoanalítica, ni de pensar o pesar mi capacidad intelectual, ni estructura temperamental, mis posibilidades y limitaciones. Eso sería como partir la conciencia en dos mitades: una que observa y otra que es observada.

Cuando nosotros *entendemos*, siempre hay un alguien que piensa, y un algo sobre lo que se extiende la acción pensante. El sujeto se proyecta sobre el objeto. Pero en nuestro caso presente sucede otra cosa: el sujeto y el objeto se identifican. Es algo simple y posesivo. Yo soy el que percibo, y lo percibido soy yo mismo también. Es un doblarse de la conciencia sobre sí misma. Yo soy yo mismo.

* * *

Para comprender bien lo que estamos diciendo, se han de eliminar ciertos verbos como *entender, pensar*... Y debemos quedarnos con el verbo *percibir*, porque de eso se trata, precisamente: de la percepción de mí mismo. Tampoco podemos hablar de idea sino de impresión.

¿Cómo es eso? ¿De qué se trata? Se trata de una impresión, en la que y por la que yo me poseo a mí mismo. La persona queda, concentradamente, consigo misma. Es un acto simple y autoposesivo, sin reflexión ni análisis, como quien queda paralizado en sí mismo y consigo mismo. A pesar de todo esto, explicado así, se parece al egoísmo, no tiene nada que ver con él, antes bien, es todo lo contrario, como se verá en el contexto de estas páginas.

Al conseguir la percepción de sí mismo, uno queda como dominado por la sensación de que yo soy diferente a todos los demás. Y, al mismo tiempo, me experimento algo así como un circuito cerrado, con una viva evidencia de que la conciencia de mí mismo jamás se repetirá.

Soy, pues, alguien singular, absoluto e inédito. ¡Hemos tocado el misterio del hombre!

Cuando nosotros decimos el pronombre personal "yo", pronunciamos la palabra más sagrada del mundo, después de la palabra Dios. Nadie, en la historia del mundo, se experimentará como yo. Y yo, nunca me experimentaré como los demás. Yo soy uno y único. Los demás, por su parte, son así mismo.

Nosotros podemos tener hijos. Al tenerlos, nos reproducimos en la especie. Pero no podemos reproducirnos en nuestra individualidad. No puedo repetirme, a mí mismo, en los hijos.

El hombre es, pues, esencial y prioritariamente *soledad*, en el sentido que yo me siento como único, inédito e irrepetible, en el sentido de mi singularidad, de mi *mismidad*. Sólo yo mismo, y sólo una vez.

Buber dice estas palabras:

> **Cada una de las personas que vienen a este mundo, constituye algo nuevo, algo que nunca habría existido antes.**

Cada hombre tiene el deber de saber que no ha habido nunca nadie igual a él, en el mundo, ya que si hubiera habido otro como él, no habría sido necesario que naciese.

Cada hombre es un ser nuevo en el mundo, llamado a realizar su particularidad.

Última soledad del ser

En los claustros góticos de la universidad de la Sorbona, fue elevándose, en el transcurso del siglo XIII, la teología escolástica, como una esbelta arquitectura. Las antiguas investigaciones de Aristóteles, pasando por las manos de Averroes, habían llegado a las húmedas márgenes del río Sena.

Los pensadores de la Sorbona llegaron a las raíces del hombre. Se preguntaron cuál era la esencia fundamental de la persona, y dijeron que la persona es un *ser que piensa y subsiste por sí misma*. ¡Una definición estática!

Por aquellos mismos días, a esa misma pregunta, *Escoto* respondió que la persona es la *última soledad del ser*. Es una definición dinámica y existencial. A eso, hoy día, llamamos experiencia de la identidad personal.

Cualquiera de nosotros, si hacemos una zambullida en nuestras aguas interiores, vamos a experimentar que, bajando en círculos concéntricos, llegaremos a un algo, por lo que, somos diferentes a todos, y nos hace ser idénticos a nosotros mismos.

Por ejemplo, si observamos a un agonizante, nosotros percibiremos que el tal agonizante es, en su intimidad, un ser absolutamente solitario: por muchos familiares que estén a su derredor, nadie está "con" él; en su intimidad, nadie lo acompaña en su travesía, desde la vida hacia la muerte.

El agonizante experimenta dramáticamente, el misterio del hombre, que significa ser soledad, el hecho de estar ahí, arrojado a la existencia, y el hecho de tener que salir de la vida contra su voluntad, y no poder hacer nada para evitar eso. Experimenta la invalidez o indigencia, en el sentido de que él está rodeado de todos los seres queridos, y nadie de ellos puede llegar hasta aquella soledad final, ni tampoco pueden llegar hasta allá las lágrimas, los cariños, las palabras y la presencia de sus familiares. Está solo. Es soledad.

Si usted está triturado por un disgusto enorme, ¿de qué le sirven las palabras de sus amigos? Va a sentir que es usted mismo, y sólo usted, quien tendrá que cargar con el peso del disgusto. Hasta aquella soledad final no llegarán las palabras ni los consuelos.

* * *

Existe, pues, en la constitución misma del hombre, sepultado entre las fibras más remotas de su personalidad (¿cómo llamar?, ¿un lugar?, ¿un "espacio" de soledad?) un algo por el que somos –repito– diferentes unos a otros, un algo por lo que soy idéntico a mí mismo. Al final ¿quién soy?, una realidad diferente y diferenciada.

Y así quedo frente a mi propio misterio, algo que nunca cambia y siempre permanece. Por ejemplo, me enseñan una fotografía mía, de cuando tenía 5 años, y ahora tengo, vamos a suponer, 50 años. Comparo mi figura actual con aquella figura de cinco años, y digo: ¡qué fisonomía tan diferente! Dentro de la permanente renovación biológica de aquel cuerpo de cinco años, no queda en mí ni una célula. Sin embargo *aquél* (de cinco años) soy yo. Y yo soy *aquél*. A morfologías tan diferentes se aplica el mismo yo. La identidad personal sobrevive a todos los cambios, hasta la muerte, y más allá. ¡Mi propio misterio!

2. SOLITARIEDAD

Los fugitivos

La tentación del hombre –hoy más que nunca– es la superficialidad, es decir, el vivir en la superficie de sí mismo. En lugar de enfrentarse con su propio misterio, muchos prefieren cerrar los ojos, apretar el paso, escaparse de sí mismos, y buscar el refugio en personas, instituciones o diversiones.

En lugar de hablar de soledad, podríamos hablar de interioridad. Y aquí repetimos lo que dijimos al principio: cuanto más interioridad (soledad), más persona. Cuanto más exterioridad menos persona. Llaman *personalización* al hecho de ser *uno mismo*, alguien diferenciado.

Y el proceso de personalización pasa por entre los dos meridianos de la persona: *soledad* y *relación*. Pero será difícil relacionarse profunda y verdaderamente, con los demás, si no se comienza por un enfrentamiento con su propio misterio, en un cuadrante inclinado hacia el interior de sí mismo.

* * *

Nunca fueron tan vigorosos, como hoy, los tres enemigos de la interioridad: la distracción, la diversión y la dispersión. La producción industrial, la pirotecnia de la televisión, el vértigo de la velocidad... son un permanente atentado contra la interioridad.

Es más agradable, y sobre todo, más fácil, la dispersión que la concentración. Y ¡he ahí al hombre, en alas de la dispersión, eterno fugitivo de sí mismo, buscando cualquier refugio, con tal de escaparse de su propio misterio y problema!

Los fugitivos nunca aman, no pueden amar porque siempre se buscan a sí mismos; y si buscan a los demás no es para amarlos sino para encontrar un refugio en ellos. El fugitivo es individualista. Es superficial. ¿Qué riqueza puede tener y compartir? La riqueza está siempre en las profundidades.

Existe tan poco amor porque se vive en la superficie, igual en la fraternidad que en el matrimonio. La medida de la entrada en nuestro propio misterio será la medida de nuestra apertura a los hermanos.

Nuestra crisis profunda es la crisis de la evasión. Escapados de nosotros mismos, vivimos escapados, también, de los hermanos. Es preciso que el hermano comience por ser *persona*, es decir, comience por enfrentar y aceptar su propio misterio.

Los solitarios

Así como hay fugitivos hacia afuera, también hay fugitivos hacia dentro. Estos son los solitarios, separados de los demás por murallas que ellos mismos levantaron, o aislados por fronteras que ellos, unilateralmente, marcaron.

"Sentirse completamente aislado y solitario, conduce, a la desintegración mental", dice Fromm.

Cuando la Biblia afirma que no es conveniente que el hombre viva solo, ese *solo* se ha de traducir por *solitario*. De la esencia de la persona es, tanto ser soledad, como ser relación, tal como explicaremos más tarde.

* * *

Así como el enfrentamiento del hombre con su propia soledad, lo abre, en una reacción gozosa, al misterio del hermano, la solitariedad, al contrario, sumerge al hombre en el mar triste y estéril del aislamiento. Su mundo es un mundo temible, hundido siempre en la noche.

Por eso, la solitariedad deriva rápidamente en perturbaciones mentales por las que se produce una disociación de las funciones anímicas, aproximándose fácilmente, el solitario, al borde de la locura.

La solitariedad recuerda, o se parece, a la invalidez de un niño pequeño, que no puede valerse por sí mismo para nada, en cuanto a las funciones elementales de la vida. ¿Qué sería de un niño, en el corazón del desierto o de la selva? Sin duda moriría, en una agonía interminable.

La solitariedad es, algunas veces, efecto de alguna perturbación genética.

Otras veces, un sujeto, cuando se siente maltratado injustamente por los demás, o considera que no ha sido suficientemente estimado, toma la vía del aislamiento como actitud de arrogante venganza, o como bandera de autoafirmación.

Pero hay otra historia más frecuente. Un individuo llega a una comunidad. Pasan los años. A su alrededor no ve más que mundos individuales y noches cerradas. El hombre se siente inseguro. Y, buscando seguridad, emprende el viaje hacia sus regiones interiores. Allí encuentra la paz, pero una paz parecida a la de los muertos.

Hay personas marcadas con el sello de la timidez. La tal timidez no nació de alguna "herida" de la lejana infancia, sino que proviene desde mucho más allá, desde las distantes fronteras de las leyes genéticas. Ahora, un típico tímido es siempre un fugitivo hacia dentro. Esta clase de personalidades sólo se sienten bien cuando se retraen hasta los últimos rincones de sí mismos.

* * *

Hay personalidades de apariencia ambigua. Unos, en un primer momento, parecen cerrados. Después de una larga convivencia, resultan ser personas de profunda intimidad y de fácil proximidad. En otros, en cambio sucede lo contrario: en un primer momento causan la impresión de gran encanto personal y de fácil comunicación. Y después de convivir, con ellos, bastante tiempo, uno llega a la conclusión de que la comunicación, con ellos, sólo se efectuaba en un primer plano, pero que, en realidad, eran cerrados y solitarios, sin saberse los motivos de tal comportamiento.

La solitariedad no es una actitud normal en el crecimiento evolutivo de la personalidad. Las energías humanas, latentes y concentradas en la intimidad de la persona, tienden, por su propia vitalidad explosiva, a abrirse y derramarse en dirección de los demás hermanos. Pero hay algo, instalado en ciertos campos o niveles de la personalidad, que bloquea el avance de aquel ímpetu, y las energías quedan frustradas e inhibidas.

Puertas que debieran estar abiertas, quedan semicerradas o completamente cerradas, impidiendo la entrada a cualquier hermano, exceptuando, quizás, algún determinado y exclusivo amigo.

El aislamiento o solitariedad se puede comparar a un lento suicidio. Allí dentro donde el individuo está replegado, siempre es de noche, y siempre hace frío. Necesariamente, el hombre acaba por enfermarse. Y una vez enfermo, irá caminando hacia el reino de las tinieblas y de la muerte. Allí sólo habitan la tristeza, el vacío, el egoísmo químicamente puro y, en fin, todas las fuerzas regresivas y agresivas.

Nosotros nacimos para *salir* y *darnos*. En otras páginas veremos cómo salvarnos del aislamiento.

Ansiedad

La enfermedad típica de los fugitivos, y sobre todo de los solitarios, es la ansiedad, debido a que ella es, fundamentalmente, vacío, y el síntoma específico de ambos grupos es, también, el vacío o paralización de las energías.

La ansiedad es hija del miedo, y hermana de la angustia, pero no se sabe dónde comienzan y dónde terminan sus correspondientes fronteras. Nace y vive –la ansiedad– entre la tristeza y el temor, entre el vacío y la violencia, entre la lucha y la inercia. Se parece a la apatía o tedio de la vida, y se pueden sentir ganas de morir por momentos, pero no es compulsiva ni agitada.

Cuando la ansiedad es de carácter neurótico, significa que tiene hundidas sus raíces en los conflictos profundos y en los problemas no resueltos.

* * *

Los soldados de un campo de batalla, si el enemigo está a la vista, sienten miedo, pero combaten. Mas, si quedan incomunicados, aislados de la retaguardia porque el enemigo les cortó las líneas telefónicas, entonces se apodera de ellos la ansiedad y quedan paralizados sin saber qué hacer.

Lo peor de la ansiedad es que ella surge desde profundidades tan remotas y tan ignotas, que el ansioso es una víctima infeliz que no sabe cómo luchar, contra quién luchar, cuál estrategia escoger y cuáles son las armas de combate, y él queda ahí, inerte, atrapado entre fuerzas cruzadas, y vive tenso, con una tensión que no es la de angustia, pero es más profunda y más permanente que la angustia.

Si usted, al atravesar una calle, se da cuenta de que se le viene encima un coche a alta velocidad, siente miedo, pero ese miedo pone sus pies en movimiento para colocarse en lugar seguro. Pero si, de repente se encuentra en medio de coches que vienen sobre usted desde todas las direcciones, seguramente va a sentirse paralizado por la ansiedad.

Es –la ansiedad– una sensación tensa y latente, en que se juntan la parálisis de la catalepsia con la angustia del parto, el pánico del vértigo con el presentimiento de un temblor de tierra.

Se dan diferentes grados y formas de ansiedad.

Una es la ansiedad del individuo a quien le comunican que tiene pocos días de vida o constata que ha sido calumniado. Y otra, cuando presiente la amenaza de quedar marginado en el seno de la comunidad, o de que ya no es querido, o de que su "imagen" ha quedado notablemente deteriorada. Cuando, en una comunidad, cada cual busca su propio rumbo, y sólo se preocupa de sus propios intereses, ¡están tan juntos y tan distantes!, todos ellos sufrirán el asalto de la ansiedad, a no ser que la supriman a base de fuertes compensaciones.

* * *

La fuente fecunda de la ansiedad es la falta de sentido en la vida, es decir, el vacío. Tanto los fugitivos como, sobre todo, los solitarios, son ramas desprendidas del árbol de la vida, y muertas. El árbol es su propio misterio. ¿Quién soy? ¿Cuál es el proyecto fundamental de mi vida? ¿Cuáles son los compromisos que mantienen en pie ese proyecto? ¿Soy consecuente con esos compromisos y conmigo mismo?

Al hecho de ser uno mismo lo llaman autenticidad.

Cualquiera que cae por la pendiente de la incoherencia vital, será poblado por las sombras de la ansiedad, sea en el matrimonio, sea en la fraternidad.

El peor de los sufrimientos –la ansiedad– deriva del peor de los males: no saber para qué se está en este mundo. Por eso hemos dicho que la ansiedad se parece a un lento suicidio y a la región de la muerte. Decía Nietzsche que quien tiene un objetivo en la vida, es capaz de soportar cualquier cosa. Y yo agregaría que aquella vida que sea poseedora de un sentido, jamás conocerá la ansiedad, al menos aquella ansiedad profunda y permanente.

Una comunidad religiosa, sin calor fraterno, sin vida de oración, dudando de la validez de su trabajo ministerial, sabiendo que se vive una sola vez y no sabiendo si esa sola vez nos equivocamos o no, preguntándose cada día si ese proyecto de vida tiene todavía sentido o si ya caducó, viendo que los años pasan y que la juventud ya se fue, y Dios llegó a ser una palabra vacía… esa comunidad, ese hermano va a ser asaltado y dominado por la ansiedad permanente.

La ansiedad generalizada es un fenómeno típico de las épocas de transición, de las vísperas de caída de las grandes hegemonías y, sobre todo, de todo aquello que signifique agonía o desaparición.

En las épocas de transición, el individuo queda sin suelo firme bajo sus pies, no sabe en qué dirección caminar, un velo cubre el futuro, y la niebla de la ansiedad penetra y ocupa todo su interior.

Nunca se vio tanta ansiedad en el rostro de los hermanos, y sobre todo, de las hermanas, como en nuestra época. Derribaron a golpes la muralla de los valores de la institución religiosa. Los "teóricos" pusieron en jaque los valores de los tres votos. Se anunció con tanto desparpajo, como superficialidad que la Vida Religiosa como institución, ya caducó. Metieron, de contrabando, a los nuevos "profetas", como elemento de reflexión dialéctica: Freud, Marx y

Nietzsche. Llegó la desorientación, el vacío, se les movió el suelo y muchísima gente quedó presa de pánico y ansiedad. No se puede generalizar. Pero mucho de esto sucedió.

Nunca olvidaré la expresión ansiosa de aquel venerable religioso de 70 años, que me decía: he vivido con alta fidelidad los tres votos religiosos, casi durante 50 años. Y ahora, al final... ¿me dicen que eso no vale nada?

> El hombre se halla "arrojado" a un mundo incomprensible. Casi no puede evitar una corriente subterránea de miedo, con remolinos de atado pánico. Vive en una vorágine de inestabilidad, soledad y sufrimiento, bajo la amenaza del espectro de la muerte y la nada. Querría escapar del agobio de la ansiedad.
>
> La falta de sentido es más terrible que la angustia, porque si existe un propósito definido de la vida, es posible soportar la angustia y el terror.
>
> Cuando se pregunta a alguien si tiene designios por los que daría su vida, en la mayoría de los casos se obtiene una respuesta afirmativa. Hasta el hombre más deprimido, si le preguntamos crudamente: "Entonces ¿por qué no se suicida usted?", quedará asustado al principio, y luego encontrará razones, que estaban semiocultas, por las que vale la pena seguir viviendo.
>
> Podemos poner en juego a nuestra vida por el valor de algún proyecto personal, aun cuando no estemos seguros del éxito. Los miembros de la resistencia francesa en la Europa de Hitler sabían que tenían pocas probabilidades de éxito, pero sentían que su objetivo era algo por lo que valía la pena dedicar una vida y hasta sacrificarla. Los sufrimientos y la muerte son superados cuando el hombre tiene un ideal[1].

El sentido de vida, para un religioso es, sin duda, Dios mismo. En la flor de su juventud, el religioso se dejó seducir por la personalidad de Jesucristo, se convenció de que Cristo era una causa que valía la pena, renunció a otras opciones y dijo: Jesucristo, mi Señor, me embarco contigo; vámonos a alta mar, y sin retorno; ¡hasta la otra orilla!

1. G. Allport, *La Personalidad*, Barcelona, 1973, pp. 648-649.

Desde aquel día, Dios fue, para él, fortaleza en la debilidad, consuelo en la desolación, todos sus deseos se colmaron, todas sus regiones se cubrieron de Presencia, todas sus capacidades se transformaron en plenitudes y... la ansiedad fue desterrada para siempre.

El único problema del religioso es que Dios sea, en él y para él, *verdaderamente vivo*. Si esta condición se cumple, podrán amenazar a este hombre los fracasos, las enfermedades y la muerte. Pero nunca la ansiedad. Dios lo liberó del supremo mal: el vacío de la vida.

Desterrados y solitarios

Vamos, de nuevo, a transponer los umbrales de la conciencia, para enfrentarnos con nuestro propio misterio.

Aquí estoy. Nadie me pidió autorización para lanzarme, a mí, a esta existencia. Sin permiso mío, estoy aquí. La existencia no se me prepuso ni se me propuso: se me impuso. En esto de que yo, ahora, exista y piense, no tengo arte ni parte. Puedo decir que, en cierto sentido, estoy "aquí" en contra de mi voluntad. Estoy abocado a la muerte, igual que el día está abocado a la noche. No opté por esta vida, como tampoco opto por la muerte que me espera.

Estoy hundido en la substancia del tiempo, igual que las raíces del árbol en la tierra. Yo no *soy* porque paso; y el verbo *ser* sólo se puede aplicar a Aquel que nunca pasa. Sólo Dios *es*.

Montado sobre este potro, que es el tiempo –del cual no puedo descolgarme, aunque quisiera–, cada momento que pasa es una pequeña despedida, porque estoy dejando atrás tantas cosas que amo, y en cada momento muero un poco.

* * *

La vida no se nos da hecha y acabada, como un traje. La vida, yo la tengo que *vivir*, o tiene que *ser vivida* por mí, es decir, es un problema. El hombre es el ser más inválido e indigente de la creación. Los demás seres no se *hacen* problemas. *Toda su vida* está solucionada por medio de los mecanismos instintivos. Un delfín, una serpiente o un cóndor *se sienten* "en armonía" con la naturaleza toda, mediante un conjunto de energías instintivas afines a la Vida.

Los animales viven gozosamente sumergidos "en" la naturaleza, como en un hogar, en una profunda "unidad" vital con los demás seres. Se sienten plenamente *realizados* –aunque no tengan conciencia de ello– y nunca experimentan la insatisfacción. No saben de frustración ni de aburrimiento.

El hombre "es", experimentalmente, conciencia de sí mismo.

Al tomar conciencia de sí mismo, el hombre comenzó a sentirse solitario, como expulsado de la familia, que era aquella unidad original con la Vida. Aun cuando forma *parte* de la creación, el hombre está, de hecho, *aparte* de la creación. Comparte la creación, *junto* a los demás seres –pero no *con* ellos– como si la creación fuese un hogar, pero, al mismo tiempo se siente *fuera* del hogar. Desterrado y solitario.

Y, no solamente se siente *fuera* de la creación, sino también, por *encima* de la misma. Se siente superior –y, de consiguiente, en cierto sentido, enemigo– a las criaturas, porque las domina y las utiliza. Se siente señor, pero es un señor desterrado, sin hogar ni patria.

Al tener conciencia de sí mismo, el hombre toma en cuenta y mide sus propias limitaciones, sus impotencias y posibilidades. Esta conciencia de su limitación perturba su paz interior, aquella gozosa armonía en la que viven los otros seres, que están más abajo, en la escala vital.

Al comparar las posibilidades con las impotencias, el hombre comienza a sentirse angustiado. La angustia lo sume en la frustración. La frustración lo lanza a un eterno caminar, a la conquista de nuevas rutas y nuevas fronteras.

La razón, dice Fromm, es para el hombre, al mismo tiempo, su bendición y su maldición[2].

2. Larrañaga, *El Silencio de María*, pp. 171-173.

3. SOLIDARIDAD

Esencialmente relación

Desde las profundidades de su conciencia de finitud e indigencia, surge en el hombre, explosiva e inevitable, la necesidad y el deseo de *relación*. Si en hipótesis, imagináramos un hombre, literalmente solo en una selva infinita, su existencia sería un círculo infernal que lo llevaría a la locura, o el tal sujeto regresaría a las etapas prehumanas de la escala vital.

Al perder aquel vínculo instintivo que lo ligaba vitalmente a las entrañas de la creación, emergió en el hombre la conciencia de sí mismo. Entonces se encontró solo, indigente, desterrado del paraíso, destinado a la muerte, consciente de sus limitaciones. ¿Cómo salvarse de esa cárcel? Con una *salida*. La necesidad de *relación* deriva de la esencia y conciencia de ser hombre.

Al tomar conciencia de sí mismo, nacen, en la persona, dos vertientes de vida: *ser él mismo* y *ser para el otro*. La única salvación, repetimos, es la salida (relación) hacia los demás. Hablamos de "salida" porque cuando la persona se autoposee, toma conciencia de sí misma, se siente como encerrada en un círculo. Habría otras "salidas" para liberarse de ese temible círculo: la locura, la embriaguez –que es una locura momentánea– y el suicidio. Pero estas "salidas" no salvan sino destruyen. Son alienación.

Si *ser soledad* (interioridad, *mismidad*) es constitutivo de la persona, también lo es, y en la misma medida, *ser relación*. Es, pues –el hombre– un ser constitutivamente abierto, esencialmente referido a otras personas: establece con los demás una interacción, se entrelaza con ellas, y se forma un *nosotros*: la comunidad.

Los demás tienen, también, su "yo" diferenciado, inefable e incomunicable. Los demás son, también, *misterio*. Yo tengo que ver, en ellos, su "yo"; ellos tienen que ver, en mí, mi "yo". Los demás no son, pues, el "otro", sino un "tú". Yo no debo ser "cosa" para ellos, ni ellos tienen que ser "objeto" para mí.

Del hecho de que los demás sean un "tú" –de consiguiente, un misterio sagrado– emergen las graves obligaciones fraternas, sobre todo ese decisivo juego *apertura-acogida*, y también aquellos dos verbos que san Francisco utiliza, cuando habla de relaciones fraternas: *respetarse y reverenciarse*. ¡Qué formidable programa de vida fraterna: reverenciar el misterio del hermano!

Dicen que la persona hace la comunidad, y que la comunidad hace la persona. Por eso mismo, yo no encuentro contraposición entre persona y comunidad. Cuanto más *persona* se es, en la doble dinámica de su naturaleza, la comunidad irá enriqueciéndose. Y en la medida en que la comunidad crece, se enriquece la persona, como tal. Ambas realidades –persona y comunidad– no se oponen, pues, sino que se condicionan y se complementan.

* * *

En este juego, apertura-acogida, yo tengo que ser simultáneamente, oposición e integración, en mi relación a un "tú". Me explicaré. En un buen relacionamiento, tiene que haber, en primer lugar, una oposición, es decir, una diferenciación: tengo que relacionarme siendo *yo mismo*. De otra manera, habría una absorción o fusión, lo que equivaldría a una verdadera simbiosis, y eso, a su vez, constituiría la anulación del "yo".

Cuando la relación entre dos sujetos se establece en forma de absorción, ya estamos metidos en un cuadro patológico: se trata de una enfermedad por la que, los dos sujetos se sienten felices (subjetivamente *realizados*) el uno dominando, y el otro siendo dominado. En los dos queda absorbida y anulada la individualidad. Y esto ocurre mucho más frecuentemente de lo que parece.

En la verdadera relación tiene que haber integración de dos integridades, y no absorción. Tiene que haber unión, no identificación, porque en toda identificación, cada uno pierde su identidad. En la absorción, se da un desdichado juego de pertenencia y posesión. Ambos sujetos son dependientes. Ninguno de los dos puede vivir sin el otro.

Los dos tratan de escaparse del aislamiento, el uno haciendo del otro una parte de sí mismo, y el otro haciéndose pertenencia. Persona madura es aquella que no domina ni se deja dominar. Y esta clase de personas, no maduras, pueden asumir alternada y casi indistintamente, la función de ser dominados o de dominar. Renuncian a su libertad para instrumentalizar o para ser instrumentos de alguien.

Ser relación significa, pues, tendencia, apertura o movimiento hacia un "tú", pero salvaguardando mi integridad, siendo *yo mismo*. Como dice Fromm, esta relación constituye la paradoja de dos seres que se convierten en uno y, no obstante, siguen siendo dos. En una palabra, nuestra relación debe constar de oposición y de implicación.

Encuentro

Cuando los dos sujetos navegan –cada uno, por su parte– en la corriente apertura-acogida, nace el *encuentro,* que no es otra cosa sino apertura mutua y acogida mutua. Tenemos, en el diccionario, una bella palabra para designar el encuentro, y es la palabra *intimidad.*

¿Cómo nace la intimidad? Si nos ponemos a la tarea de percibir nuestra *mismidad,* va a acontecer lo siguiente: comenzamos por desligarnos de todo (inclusive recuerdos, preocupaciones...) menos de mí mismo. Como en círculos concéntricos de un remolino, vamos avanzando, cada vez más adentro, hacia el centro. No es imaginación; menos aún, análisis sino percepción.

Y en la medida en que se van esfumando todas las demás impresiones, vamos a arribar, al final, a la simplicidad perfecta de un punto: la conciencia de mí mismo. En este momento podemos pronunciar, verdaderamente, el pronombre personal "yo". Y, en la simplicidad de ese punto, y en ese momento, quedan englobados los millones de componentes de mi persona: miembros, tejidos, células, pensamientos, criterios... Todo queda integrado en ese "yo" mediante el objetivo posesivo: *mi* mano, *mi* estómago, *mis* emociones...

En una palabra, la persona es, primeramente, interioridad. Pero esta palabra es un tanto equívoca. Diría, más exactamente, que la persona es *interiorización*, esto es, el proceso incesante de caminar hacia el núcleo, hacia la *última soledad*, de que hablaba Escoto. Toda persona, auténticamente hablando, es eso.

* * *

Ahora bien, dos interioridades que "salen" de sí mismos y se proyectan mutuamente, dan origen a una tercera "persona", que es la intimidad, que no es otra cosa sino el cruce y proyección de dos interioridades. Ya estamos en el encuentro.

Vamos a explicarnos con un ejemplo. La intimidad que existe entre usted y yo –esa intimidad– no "es" usted, no "es" yo. Tiene algo de usted; tiene algo de mí. Es diferente de usted; es diferente de mí. Es dependiente de usted; es dependiente de mí. Hasta cierto punto, es independiente de usted; es independiente de mí. Digo esto, porque nos nació una "hija", como fruto de nuestra mutua proyección. Y, ¡ oh maravilla! nuestra "hija" –la intimidad– se nos transformó, sin saberlo cómo, en nuestra "madre", ya que ella –la intimidad– nos *personaliza* a usted y a mí, nos *realiza*, nos *da a luz* a la madurez y a la plenitud.

Esta intimidad es, para hablar con otras expresiones, una especie de clima, de confianza y cariño que, como una atmósfera, nos envuelve a usted y a mí, haciéndonos adultos, y alejándonos de las peligrosas quebradas de la solitariedad.

Hay otras palabras para significar lo que acabo de explicar, por ejemplo, inter-subjetividad, inter-comunicación, inter-acción... pero, al final, es lo dicho: dos personas mutuamente entrelazadas. Eso es el encuentro.

Donde hay encuentro, hay trascendencia porque se superaron las propias fronteras. Donde hay trascendencia, hay pascua y amor. Donde hay amor, hay madurez, que no es otra cosa sino una participación de la plenitud de Dios, en quien no existe soledad.

A imagen trinitaria

En el principio, Dios nos creó a su imagen y semejanza. Pero no solamente eso. Fuimos modelados, sobre todo, según el *estilo de vida* que se "vive" en el seno insondable de la Santa Trinidad. Aquí nace la Fuente de todos los misterios. Y el misterio de la persona y de la comunidad humanas, sólo puede ser entendido en el reflejo de esa Fuente profundísima y clarísima.

Todo cuanto hemos dicho, en el presente capítulo, sobre el misterio de la persona, puede ser aplicado, en perfecta analogía y paralelismo, a las divinas personas. ¿Por qué? Porque la persona humana es una copia exacta de las personas trinitarias.

* * *

En la Trinidad, cada persona es *relación subsistente*. Quiero decir: cada persona, en aquel Abismo, es pura relación respecto a las otras personas. Por ejemplo: el Padre no es propiamente padre, sino *paternidad*, es decir, un proceso interminable de dar a luz –al Hijo–, de relacionarse. Inclusive, para hablar con exactitud, tendríamos que inventar, aquí, una nueva palabra, *pater-acción*, proceso de *hacerse padre*.

El Hijo no es propiamente hijo, sino *filiación*, es decir, proceso eterno de ser *engendrado*. El Padre no sería padre sin el Hijo. El Hijo no sería hijo sin el Padre.

Pues bien, el Padre y el Hijo se proyectan mutuamente, y nace una tercera *persona*, que, en el lenguaje que estamos usando, se llamaría Intimidad (Espíritu Santo). Esta tercera persona no sería nada sin las dos anteriores. De manera que, el Espíritu Santo, es como el fruto de una relación: es como la Plenitud, la Madurez, la Personalización acabada.

Esta tercera *persona* constituye, en aquel Abismo, lo que llamaríamos el Hogar; y origina una corriente vital, en forma de circuito, entre las tres divinas personas; una corriente infinita e inefable de simpatía, conocimiento y amor. Toda esa Vitalidad, Jesús la resume diciendo que los tres son Uno.

Y así, en aquella Casa, todo es común. Dicho en nuestro lenguaje, cada persona es esencialmente *mismidad* (interioridad), y esencialmente *relación,* pero una relación subsistente, quiere decirse que de la relación depende el Ser.

* * *

Esta comunicación (relación) hace de las tres personas, una común-unidad ("como nosotros somos uno"), de tal manera que las tres divinas personas tienen, repito, todo *en común:* tienen el mismo conocimiento y el mismo poder. Pero, a pesar de tenerlo todo en común, cada persona no pierde su *mismidad* sino que subsiste como realidad diferenciada, toda entera. No existe, pues, fusión. Existe unión: identidad de persona y comunión de bienes.

Aquí está la clave de la fraternidad: ser distintos en la intercomunicación de sí mismos, porque no se trata, sobre todo, de intercambiar bienes o palabras sino interioridades. Cada persona divina, como cada persona humana, son sujetos verdaderos. Sin embargo, son, deben ser, sujetos que *dan* y *reciben* todo lo que tienen, y todo lo que son.

En otras palabras: en aquella inefable Comunidad, cada persona, permaneciendo subsistente en sí misma, es, al mismo tiempo *Don de sí;* de tal manera que el Verbo, el proceder del Padre, posee y retiene las mismas perfecciones del Padre. Y el Espíritu Santo, que procede del Padre y del Hijo, posee y retiene las mismas perfecciones de las personas de quienes procede. Así se "realizan" aquellas personas, dando y recibiendo.

Si aplicamos esto a la realidad humana, podríamos concluir que una persona humana se "realiza" tanto al recibir de otro sujeto, todo cuanto tal sujeto es, como al dar a ese sujeto, todo cuanto aquella persona es.

* * *

30

De cuanto acabamos de explicar en este capítulo, surge la necesidad de corresponsabilidad, participación e interdependencia, entre los miembros de una comunidad. En una palabra, la *solidaridad*.

El hombre no puede encontrar su plenitud, si no es en la entrega de sí mismo a los demás (GS 24).

A través del trato con los demás, en la reciprocidad de servicios, en el diálogo con los hermanos, la vida social engrandece al hombre en todas sus cualidades, y le capacita para responder a su vocación (GS 25).

Capítulo II

EL MISTERIO DE LA FRATERNIDAD

En primer lugar, la Fraternidad cristiana no es un ideal sino una realidad divina. En segundo lugar, la Fraternidad cristiana es una realidad espiritual y no una realidad psíquica.

Dietrich Bonhoeffer

Capítulo II

EL MISTERIO DE LA FRATERNIDAD

1. GRUPOS HUMANOS Y FRATERNIDAD

En los últimos años, fueron desapareciendo numerosas comunidades religiosas, en muchos países. Fue un fenómeno doloroso y de gran complejidad, difícil de analizar y fácil para la simplificación.

Se dejaron conducir por "animadores" secularizados. Redujeron la fraternidad a dimensiones de simple grupo humano. En lugar de apoyarse sobre fundamentos de fe, pusieron en práctica, casi exclusivamente, técnicas de relaciones humanas. Se les dijo que la solución mágica a todos los males consistía en disgregar las Provincias en pequeñas comunidades. Otras causales, como crisis de identidad y crisis de crecimiento, contribuyeron también a crear esta situación.

¿Resultado? Provincias enteras se desangraron en muchas partes. La nube de la desorientación cubrió amplios horizontes. La ansiedad y la tristeza se apoderaron de comunidades y provincias. Entre las diversas causas que motivaron esta situación, la principal, en mi opinión, es la de haber perdido de vista la naturaleza evangélica de la fraternidad.

Grupos humanos

¿Cuáles son los motivos o fundamentos por los que, generalmente, los seres humanos se juntan y conviven?

En primer lugar, la *sexualidad afectiva* une a un hombre con una mujer, se constituye el matrimonio, y nace la primera comunidad.

Este atractivo es una fuerza primitiva, profunda y poderosa que aglutina de tal manera a un hombre con una mujer que, de ahora en adelante, todo será común entre ellos: proyectos, bienes, alegrías, fracasos. . . Hizo de dos cuerpos un cuerpo, de dos corazones un corazón, de dos existencias una existencia. . . hasta la muerte y más allá.

Ese afecto constituye lo que llaman el sentido de vida, de tal manera que, aunque los cónyuges sean viejos, enfermos, pobres o fracasados, el afecto, si existe, da alegría y sentido a sus vidas.

El segundo grupo humano es el *hogar* o familia, cuyo fundamento es la *consanguinidad* o sangre común. Los hijos nacidos de aquel matrimonio, son y se llaman *hermanos*, y forman, con sus padres, una comunidad de amor e intereses. Lo que hay de común entre ellos es la sangre. La parentela es una prolongación de la familia.

En tercer lugar, la *afinidad* origina, en la sociedad, los diferentes círculos de amigos. Así como la consanguinidad es una realidad biológica, la afinidad pertenece a la esfera psicológica. Es una especie de simpatía, que no se procura ni se cultiva sino que nace ahí espontáneamente, como algo natural y preexistente, entre dos personas. Esta afinidad origina grupos de amigos, que vienen a ser como comunidades espontáneas. A veces, estos grupos, tienen mayor solidez y más calor que algunos hogares. En la sociedad, muchos prefieren alternar con amigos más que con sus parientes.

Otra razón, menos común, por la que los seres humanos se juntan y conviven es la *proximidad* o razones de patria. Por ejemplo, si dos argentinos, que nunca se han visto, se encuentran por sorpresa en París, se sentirán con la confianza de viejos amigos desde el primer momento, casi como hermanos. Es la fuerza cohesiva de eso que llaman patria. Y ¿qué es la patria sino una familia muy numerosa?

Finalmente, un último fundamento que congrega y hace convivir a los seres humanos son los *intereses comunes*. Estos cinco hombres se juntan todos los días, durante veinte años, y conviven durante ocho horas diarias. ¿Quiénes son? Son los componentes del Directorio de una gran industria. El interés común de una buena producción hace que los cinco se acepten, se comprendan y superen sus conflictos personales.

Nueva Comunidad

Llega Jesús. Pasa por encima de todas estas motivaciones, y planta un otro fundamento, absolutamente diferente de los anteriores, sobre el que, por el que, y en el que los hombres, desde ahora en adelante, podrán juntarse y convivir hasta la muerte: el Padre.

Jesús, sin decirlo, declara que ya caducaron aquellos tiempos en que decían: somos hijos de Abraham.

La carne (consanguinidad) no vale para nada, dice Jesús. Dios es nuestro Padre, y, de consiguiente, todos nosotros somos hermanos. Aquellos que experimentaron vivamente que Dios es "mi Padre", experimentarán también que el prójimo que está al lado es "mi hermano". Se rompieron todos los cercos estrechos de la carne, y todo queda abierto a la universalidad del espíritu.

* * *

Estaba, Jesús, en una casita de Cafarnaúm, dedicado a la formación de un grupo de discípulos. Llegó su Madre con unos parientes, golpeó la puerta, salió alguien, y éste comunicó a Jesús: Maestro, aquí está tu Madre que quiere hablar contigo.

Jesús quedó, por un instante, como sorprendido. Luego, alzando la voz y levantando el vuelo por encima de las realidades humanas, preguntó: ¿Mi madre? ¿Quién es mi madre? Y, sin esperar respuesta, extendió los brazos y la mirada por encima de los que lo rodeaban, y afirmó: éstos son mi madre y mis hermanos. Y no solamente éstos. Todo el que tome a Dios por Padre y cumple su voluntad, ése es para mí, hermano, hermana y madre (Mc 3, 33-35).

Palabras sobresalientes. Ya tenemos un nuevo fundamento para una nueva comunidad: Dios Padre. Seducidos por Dios, hombres que nunca se conocieron, provenientes de diferentes continentes o razas, eventualmente sin afinidad temperamental, podrán, a partir de ahora, reunirse para amarse, respetarse, perdonarse, comprenderse, abrirse y comunicarse. Nació la Comunidad bajo la Palabra.

Aquella unión que origina y consuma la consanguinidad en otros grupos humanos, en esta nueva comunidad la consumará la presencia viva del Padre.

¿Escuelas de Mediocridad?

En nuestras comunidades religiosas, los lazos que unen unos a otros, no son espontáneos o connaturales. No nos ha arrastrado a esta convivencia ni el atractivo sexual, ni la afinidad de viejos amigos, ni el parentesco, ni el lazo de la patria, ni cualquiera otro interés, extrínseco al grupo.

Nosotros llegamos a la vida religiosa, y nos hemos *encontrado* con unos hombres, digamos así, unos "compañeros". Nosotros no llegamos buscando a esos hombres. Hasta, me atrevería a decir que, en principio, no nos interesaban, podían ser cualesquiera otros, nos eran indiferentes

Lo único que teníamos, y tenemos en común con esos hombres es que ellos fueron seducidos por Jesús, y yo también. Ellos quieren vivir con Jesús y yo también. Ellos quieren pertenecer exclusivamente a Jesús y yo también. Ellos renunciaron al matrimonio para vivir en virginidad en y por Jesús, y yo también.

Conclusión: el único elemento común entre todos nosotros es Jesús. A unos "compañeros" que no ligaba ninguna conexión humana, la *experiencia en Jesús*, los ha transformado en *hermanos*. Nació la fraternidad evangélica, diferente, en su raíz, a todas las demás comunidades humanas.

Así pues, la diferencia intrínseca, formal y definitiva entre un grupo humano y una comunidad evangélica es Jesús. Es la experiencia religiosa, el encuentro personal con el Señor Jesucristo el que nos ha juntado. Nosotros nos hemos juntado sin conocernos, sin consanguinidad y, posiblemente, sin afinidad. Nos hemos juntado porque creemos y amamos a Jesucristo, y convivimos porque Él nos dio el ejemplo y el precepto del amor mutuo. Dios mismo es el misterio final de la fraternidad evangélica.

Si olvidamos esta raíz original y aglutinante, nuestras comunidades degenerarán en cualquier cosa. Y si en este momento, la marcha de una comunidad no está presidida por la experiencia en Jesús, nuestras comunidades acabarán por ser escuelas de egoísmo y mediocridad.

Un largo camino

Por aquellos días, Pablo se sentía ansioso al contemplar tanta división y tanta idolatría, en Atenas. Lo tomaron unos académicos, lo llevaron al paraninfo de la universidad, y le dijeron: queremos escucharte, habla. Pablo, puesto en pie, dijo: de un solo hombre, Dios hizo brotar toda la estirpe humana (Hech 17, 26).

Sólo con este hecho, Dios, al principio, depositó en el corazón humano la simiente y la aspiración a la fraternidad universal.

Sin embargo, la palabra *hermano* designa, en los primeros libros de la Biblia, a los nacidos de un mismo seno materno. En algunos pasajes designa también, por excepción, a los pertenecientes a una misma tribu (Dt 25, 3).

Más tarde designa también a todos los hijos de Abraham. Pero de ahí no pasó.

* * *

Sin embargo, muy pronto, en la aurora misma de la humanidad, esa primitiva fraternidad la encontramos ensangrentada.

¿Qué había sucedido? Como preludio de todos los odios y asesinatos, Caín había ejecutado a Abel, por envidia. Y, peor que eso, la indiferencia y el desprecio extendieron sus alas negras sobre el paraíso. A la pregunta, ¿dónde está tu hermano? resonó, entre las lomas del paraíso, una respuesta brutal: "¡qué sé yo!, ¿quién me encargó cuidar de mi hermano?" (Gén 4,9).

Y así nos encontramos con el hecho de que, el egoísmo, la envidia y el desprecio proyectaron su sombra maldita sobre las primeras páginas de la Biblia.

Desde este momento hasta el fin del mundo, el egoísmo levantará sus altas murallas entre hermano y hermano. Qué tremenda carga psicoanalítica contienen las palabras de Dios a Caín: ¿por qué andas sombrío y cabizbajo? Si procedieras con rectitud, ciertamente caminarías con la cabeza erguida. Pero sucede que el egoísmo se esconde, agazapado, detrás de tu puerta. Él te acecha como una fiera. Pero tú tienes que dominarlo (Gén 4,7).

He ahí el programa: controlar todos los ímpetus agresivos que se levantan desde el egoísmo, suavizarlos, transformándolos en energía de amor, y relacionarnos, unos con otros, en forma de apertura, comprensión y acogida.

Pero, ¿quién es capaz de derrotar el egoísmo y hacer esa milagrosa transformación? El llamado *inconsciente* es una fuerza primitiva, salvaje y amenazadora. ¿Quién podría dominarlo? El Concilio responde que ya hubo Alguien que lo derrotó: Jesucristo (GS 22).

Prosiguiendo esta larga historia, veamos, pues, cómo ella continúa y desemboca en la historia personal de Jesús.

2. JESÚS EN LA FRATERNIDAD DE LOS DOCE

Dejarse amar

Jesús salta al combate del espíritu después de experimentar el amor del Padre. En el crecimiento evolutivo de sus experiencias humanas y también divinas (Lc 2,52), Jesús, siendo un joven de veinte o veinticinco años, fue experimentando progresivamente que Dios no es, sobre todo, el Inaccesible o el Innominado, aquel con quien había tratado desde las rodillas de su Madre[3].

Poco a poco, Jesús, dejándose llevar por los impulsos de intimidad y ternura para con su Padre llegó a sentir progresivamente algo inconfundible: que Dios es como un Padre muy querido; que el Padre no es, primeramente, temor sino Amor; que no es, primeramente, justicia sino Misericordia; que el primer mandamiento no consiste en amar al Padre sino en dejarse amar por Él.

La intimidad entre Jesús y el Padre fue avanzando mucho más lejos. Y cuando la confianza –de Jesús para con su Padre– perdió fronteras y controles, un día (no sé si era de noche) salió de la boca de Jesús la palabra de máxima emotividad e intimidad: ¡Abbá, querido Papá!

* * *

Y ahora sí, Jesús podía salir sobre los caminos y las montañas para comunicar una gran noticia: que el Padre está

---

3. Esta evolución de Jesús "en las cosas divinas" está ampliamente desarrollada en mi libro "Muéstrame Tu Rostro", pp. 286-342.

cerca, nos mira, nos ama. Y nos reveló al Padre, con comparaciones llenas de belleza y emoción.

¿Vieron alguna vez que un niño hambriento pida un pedazo de pan a su padre, y éste le dé una piedra para que le rompa los dientes? O si le pide pescado frito ¿acaso su padre le dará un escorpión para que lo pique y lo mate? Estallan las primaveras, brillan las flores, anidan los pájaros, todo se cubre de esplendor, arden las estrellas allí arriba. ¿Quién da vida y belleza a todo esto? El Padre se preocupa de todo. ¿Acaso no valen ustedes más que los pájaros, las flores y las estrellas? Hasta los cabellos de su cabeza y los pasos de sus pies, todo está enumerado. El Padre no los vigila, los cuida.

Pidan, llamen, toquen las puertas. Se les abrirán las puertas, encontrarán lo que buscan, recibirán lo que piden. Su único problema consiste en dejarse envolver y amar por el Padre. ¡Si ustedes supieran cuánto son amados por Él, si ustedes conocieran al Padre... nunca sabrían de tristezas ni de miedos. Y ahora compórtense con los demás, tal como el Padre procede con ustedes.

* * *

Desde hace mucho tiempo me asiste la más fuerte convicción en el sentido de que vivir el Evangelio consiste, originalmente, en experimentar el amor del Padre, precisamente del Padre. Cuando se siente eso, surge en el corazón humano, un deseo incontenible de tratar a los demás como el Padre me trata a mí. A partir de esa experiencia, el otro se transforma, para mí, en *hermano*.

Íntimamente me asiste también la más completa seguridad de que eso mismo sucedió a Jesús: experimentó intensamente el amor del Padre, cuando era un joven. Y al impulso del dinamismo de ese amor, Jesús salió al mundo para tratar a todos como el Padre lo había tratado a Él. Como mi Padre me amó, así yo los he amado a ustedes.

Éste es el programa que Jesús propone a los hombres. Aquí está la revolución, la "novedad" profunda y radical del Evangelio. Jesús es SU HIJO amado. Nosotros somos sus hijos amados.

Así comprendemos la motivación o sentido profundo de las actitudes evangélicas de Jesús. Cuando el Señor Jesús, a sus doce años, responde a su Madre que el Padre es su única ocupación y preocupación, quiere indicar con otras palabras: *mi Padre es mi madre*, queriendo decir que toda la ternura que le podía dar su Madre, ya se la había dado su Padre.

Cuando Jesús dice que la voluntad del Padre nos constituye en padre, madre, esposa... (Mt 12, 50) quiere decir esto: que el amor del Padre nos da a sentir una ternura mucho más profunda que la de una esposa; causa más dulzura que la de una madre muy querida, y mayor satisfacción que miles de propiedades y hectáreas.

Y así surge la comunidad, como una necesidad de amor, como un espacio vital donde poder derramar las energías y el calor que hemos almacenado, provenientes del sol del Padre.

* * *

El modelo de conducta, para el trato mutuo, en una comunidad, es el Padre mismo. El programa de Jesús se resume en esto: sean como el Padre.

Si ustedes aman al que les ama, ¿cuál es su mérito? Hasta los publicanos actúan así. Si ustedes quieren convivir tan sólo con aquellos que son de su agrado o mentalidad, ¿en qué está la novedad? Es una reacción instintiva. Miren a su Padre. ¿Creen ustedes que ese sol calienta y fecunda solamente los campos de los justos? También los campos de los injustos y de los traidores. El Padre es así. Los hombres le disparan blasfemias y Él les envía un sol fecundante. Sean como Él.

Si ustedes son cariñosos y saludan tan sólo a sus parientes y amigos, ¿en qué se diferencian de los demás? Hasta los ateos proceden así.

Miren esa lluvia. ¿Acaso el Padre hace discriminación, regando los campos de los buenos, y dejando áridos los campos de los blasfemos e ingratos? Él no guarda rencor ni toma venganza. Devuelve bien por mal, y envía indistintamente la lluvia benéfica sobre los unos y los otros.

Sean como Él, y se llamarán hijos benditos del Padre Celestial.

Familia itinerante

Más que colegio apostólico o escuela de perfección, el grupo de los Doce fue una familia sin morada, caminando bajo todos los cielos y durmiendo bajo las estrellas, familia dentro de la cual Jesús fue el HERMANO que trató a ellos como el Padre lo había tratado a Él.

Igual que en una familia, fue sincero y veraz para con ellos. Les abrió su corazón y les manifestó que lo iban a crucificar y matar, pero que al tercer día resucitaría. Les previno de los peligros, los alentó en las dificultades, se alegró de sus éxitos.

Los trató como "amigos" porque un hombre es amigo de otro hombre cuando aquél manifiesta toda su intimidad a éste. En una tremenda reacción de sinceridad, les manifestó que sentía tristeza y miedo. Me parece que Jesús llegó casi a mendigar consolación cuando, en Getsemaní, fue a verlos, y los halló durmiendo. Después de muchos años, Pedro recordaba, con emoción, que, en su boca, nunca nadie encontró ambigüedad o mentira.

Fue, con ellos, exigente y comprensivo a la vez. Como en todo grupo humano, también allí nacieron y crecieron las yerbas de la rivalidad y de la envidia. Jesús necesitó un extraordinario tacto y delicadeza para suavizar las tensiones, y superar las rivalidades con criterios de eternidad. Con infinita paciencia, en innumerables oportunidades, les corrigió su mentalidad mundana.

Les lavó los pies. Fue delicado con el traidor, tratándolo con una palabra de amistad. Fue comprensivo con Pedro, con una mirada de misericordia. Fue cariñoso con Andrés y Bartolomé. Sobre todo fue un sembrador infatigable de la esperanza. Se manifestó paciente con todos y en todo momento. Sólo en un momento aparece un destello de impaciencia "¡hasta cuándo!" (Lc 9, 41). Fuera de ese momento, la paz, para con ellos, fue la tónica general.

44

Y así nació la primera fraternidad evangélica, modelo de todas las comunidades religiosas.

Ejemplo y precepto

Lo que estamos afirmando en todo momento, a saber, que Jesús trató a los suyos como el Padre lo había tratado a Él, se lo declaró al final en términos explícitos:

> **Así como el Padre me envía, de la misma manera yo los envío a ustedes. Ahora hagan ustedes lo mismo entre sí (Jn 15, 9).**

Jesús hace, ahora, una transmisión: yo recibí el amor del Padre, y se lo comuniqué a ustedes. Ahora, comuníquense ustedes mutuamente ese mismo amor, y trátense unos a otros, como el Padre me trató a mí, y como yo los traté a ustedes. Vivan amándose.

Jesús, sabiendo que había llegado su Hora, y la hora de regresar al Hogar del Padre, y que disponía de pocos minutos para estar con ellos, abrió para ellos todas las puertas de su intimidad, en una apertura total.

En un gesto dramático, se arrodilló ante ellos, les lavó los pies, suprema expresión de humildad y amor. Y les dijo: ahora hagan ustedes lo mismo: trátense con veneración y cariño.

Nunca se vio que un simple obrero ocupara el lugar ni la función del patrón. Nunca se ha visto tampoco que un recadista o enviado tenga mayor categoría que aquel que lo envió. Ustedes me llaman maestro y señor y lo soy efectivamente. ¿Vieron alguna vez que el señor esté sirviendo a la mesa? Sin embargo, yo, a pesar de ser maestro y señor, rompí todos los precedentes y me vieron en el suelo, a sus pies, y ahora sirviéndoles la comida. Ya les di el ejemplo. Tengo autoridad moral para darles ahora el precepto: ¡ámense!

¿Quieren saber quién es el grande? Los hombres de este mundo, para afirmar su personalidad y su autoridad, dan golpes de fuerza, ponen los pies sobre la cabeza de sus súbditos y los oprimen con la fuerza bruta. Así se sienten hombres superiores. Ustedes no. Si alguno de ustedes quiere ser grande, hágase como aquel que está a los pies de los demás para reverenciarlos, servirlos a la mesa, lavarles y secarles los pies. ¡Ámense!

* * *

¿Saben cuál es el distintivo por el que los identificarán como discípulos míos? El amor fraterno. Si se aman como yo los amé y el Padre me amó como los más recalcitrantes sacarán la conclusión de que yo soy el Enviado.

No tengan miedo. No quedarán huérfanos. Cuando yo llegue a mi Casa, les enviaré un soplo de fortaleza y consolación, que los transformará en murallas invencibles frente a cualquier adversidad. Y si, en una suposición imposible, fallara todo esto, sepan: yo mismo, personalmente, estaré entre ustedes hasta el fin del mundo.

Me voy. Como recuerdo, les dejo una herencia: mi propia felicidad. ¿Me vieron alguna vez triste? En medio del combate, siempre me vieron en paz, nunca resentido. Esa misma paz les dejo por herencia. Sean felices. Éste es mi precepto fundamental: ¡ámense los unos a los otros!

* * *

Jesús levantó sus ojos. Y, con una expresión, hecha de veneración y cariño, dirigió al Padre esta súplica:

Padre Santo,
sacándolos del mundo, los depositaste a todos éstos
en mis manos, a mi cuidado.
Yo les expliqué quién eres Tú.
Ahora ellos saben quién eres Tú
y saben, también, que yo nací de tu Amor.

Eran tuyos, y Tú me los entregaste como hermanos,
y yo los cuidé
más que una madre a su niño.
Conviví con ellos
durante estos años:
como Tú me trataste,
así mismo los traté.

Pero ahora tengo que dejarlos, con pena
voy a salir del mundo y regresar junto a Ti,
porque Tú eres Mi Hogar.
Pero ellos quedan en el mundo.

Padre querido, tengo miedo por ellos,
el mundo está dentro de ellos:
temo que el egoísmo, los intereses y las rivalidades
desgarren la unidad entre ellos.
Eran tuyos y me los entregaste,
ahora que me alejo de ellos
vuelvo a entregártelos.
Guárdalos con cariño.
En cuanto estaba con ellos
yo los cuidaba.
Ahora cuídalos Tú.

Tengo miedo por ellos, los conozco bien.
No permitas que los intereses los dividan
y que las rivalidades acaben por extinguir la paz.
Que sean UNO, Padre amado, como Tú y Yo.

Tengo miedo por ellos, los conozco bien.
No es necesario que los retires del mundo.
Derriba, en ellos, las altas murallas,
levantadas por el egoísmo.
Cubre los fosos y allana los desniveles
para que ellos sean verdaderamente unidad y santidad.

Como Tú, Padre, estás en Mí y, Yo en Ti,
también ellos sean consumados en lo UNO nuestro.

"Mis hermanos"

Después de vivir durante tres años en el seno de aquella
familia itinerante, poniendo en práctica todas las exigencias
del amor, al final, antes de levantar el vuelo para subir al
Padre, Jesús dio la razón profunda de aquella singular convivencia:

> Anda y diles a MIS HERMANOS que subo a mi Pa-
> dre que es el Padre de ustedes, a mi Dios que es también
> su Dios (Jn 20, 17).

¡Extraño! Antes de morir, cuando la semejanza de Jesús con los suyos era total, los llama, como gran privilegio, *amigos* porque les había abierto su intimidad y manifestado los secretos arcanos de su interioridad.

Pero ahora, una vez muerto y resucitado, cuando ya Jesús no pertenecía a la esfera humana, sorpresiva y repentinamente comienza a llamarlos *mis hermanos*. Aquí está el secreto: Jesús, durante aquellos años, los cuidó con tanto cariño, y luchó para formar, con ellos, una familia unida porque el Padre de Jesús era, también, el Padre de los Apóstoles, y el Dios de aquellos pescadores era, también, el Dios de Jesús.

Existía, pues, una raíz subterránea que mantenía en pie todos aquellos árboles. Más allá de las diferencias temperamentales o sociales, una corriente elemental unificaba, en un proceso identificante, a todos aquellos que tenían un Padre común.

* * *

El misterio existencial de la vida fraterna consistirá siempre, en imponer las convicciones de fe sobre las emociones espontáneas.

Este tipo no me gusta, el instinto me impulsa a separarme de él. Este otro mantiene, respecto de mí, no sé qué reticencia o ceño cerrado, mi reacción espontánea es ofrecerle la misma actitud. Sé que aquel otro habló mal de mí; desde ese momento no puedo evitar mirarlo como enemigo, y tratarlo como tal...

Será necesario imponer, por encima de esas reacciones naturales, las convicciones de fe: el Padre de ese hermano es mi Padre. El Dios que me amó y me acogió es el Dios de ese hermano. Será necesario abrirme, aceptarlo y acogerlo como al hijo de "mi Padre".

Signo y meta

Hubo, pues, en los últimos tiempos, una explosión de la benignidad y amor de nuestro Salvador a los hombres (Tit 3,4). Los redimidos por el amor, sintiéndose admirados, emocionados y agradecidos por tanta predilección, pasan decididamente a esta conclusión:

Si Dios nos ha amado
de esta manera,
nosotros debemos amarnos
unos a otros (1Jn 4,7).

Cuando el hermano haya experimentado previamente ese *amor primero*, no habrá dificultades especiales, en la vivencia de amor, diariamente; todo queda solucionado o en vías de solución: problemas de adaptación, tensiones y crisis, dificultades de perdón o de aceptación.

* * *

Al desaparecer la fraternidad itinerante de Jesús, con la dispersión de los Apóstoles en el mundo, surge en Jerusalén una copia de aquella familia apostólica. Y los Hechos nos presentan la comunidad de Jerusalén como el ideal de la existencia cristiana.

Vivían unidos. Tenían todo en común. Se les veía alegres. Nunca hablaban con adjetivos posesivos: "mío", "tuyo". Acudían diariamente, y con fervor, al templo. Gozaban de la simpatía de todos. En una sola palabra, tenían un solo corazón y una sola alma. Y todo esto causaba una enorme impresión en el pueblo.

La fraternidad evangélica tiene, en sí misma, una razón de ser: la de ser un ambiente en el cual, los hermanos tratan de establecer verdaderas relaciones interpersonales y fraternas.

Fraternidad no significa tan sólo que vivimos juntos, unos y otros, ayudándonos y completándonos en una tarea común, como un equipo pastoral, sino que, sobre todo, tenemos la mirada fija, los unos en los otros, para amarnos mutuamente. Y más que eso, quiere indicar que vivimos unos-con-los-otros, así como el Señor nos dio el ejemplo y el precepto.

* * *

Este amor vivido por los hermanos en medio del mundo, constituirá el toque de atención y argumento palpable de que Jesús es el Enviado del Padre, y de que está vivo entre nosotros. Cuando la gentes observan a un grupo 'e hermanos, vivir unidos, en una feliz armonía, acabarán pensando que Cristo está vivo. De otra manera no se podría explicar tanta belleza fraterna. Así la fraternidad se torna en un *sacramento*, señal indiscutible y profética de la potencia libertadora de Dios.

El pueblo posee una gran sensibilidad. Percibe con certeza cuándo, entre los hermanos, reina la envidia, cuándo la indiferencia, y cuándo la armonía.

La gente sabe, por propia experiencia, cuánto cuesta amar a los difíciles, cuánta generosidad presupone el amor oblativo. Una comunidad unida, se transforma rápidamente, para el Pueblo de Dios, en un signo de admiración, y también, en un signo de interrogación que lo cuestiona –a ese Pueblo– y lo obliga a preguntarse por la acción redentora de Jesús cuyos frutos quedan a la vista.

* * *

Muchas tareas señaló Jesús a los suyos. Les dijo que se preocuparan de los necesitados y que, lo que hicieran por ellos, lo habían hecho por Jesús mismo. Les dijo cómo tenían que defenderse cuando fueran llevados a los tribunales. Les pidió que limpiaran leprosos, sanaran enfermos, resucitaran muertos. Les mandó que recorrieran el mundo anunciando las noticias de Última Hora.

Pero, al final, en el último momento, y con carácter urgente de testamento final, les comunicó que, entre todas las actividades señaladas o preceptuadas, la actividad esencial habría de ser, vivir amándose unos a otros, en cuanto y hasta que Él regresara.

Es, pues, la fraternidad, la *meta* para los seguidores de Jesús.

Aceptar a Jesús como HERMANO

Dios es amor porque amar significa *dar*. Y Dios nos ha *dado* lo que más quería: su Hijo. Jesucristo es, pues, el don de los dones, o el colmo de los regalos.

Si el amor es el fundamento de la fraternidad, y Jesús es el centro de ese amor, es preciso concluir que Jesucristo es el Misterio Total de la Fraternidad. Y el secreto del éxito comunitario está en aceptar a Jesús, en el seno de la comunidad, como Don del Padre y HERMANO nuestro.

* * *

Impresionan las insistencias de Bonhoeffer. El pastor luterano sabía, por propia experiencia, qué significa vivir en comunidad. Casi desde los comienzos de su actividad ministerial había sido orientador espiritual de los seminaristas teólogos de la Iglesia Confesante de Pomerania. Y, en sus orientaciones comunitarias, insiste, de forma casi exclusivista, sobre el carácter espiritual de la comunidad.

A aquel hombre que se equilibró entre la "resistencia y la sumisión" y acabó su vida, como Testigo de Jesús, a manos de los coroneles de las SS, no le parecía que el hermano debe buscar a Dios en el otro hermano, como se dice hoy, sino que un hermano solamente puede llegar al otro hermano *mediante Jesucristo*.

Y añade que nosotros, desde la eternidad, hemos sido elegidos como hermanos en Jesucristo, fuimos aceptados en el tiempo, y unidos para la eternidad.

Sólo mediante Jesucristo es posible que uno sea hermano del otro.

Yo soy hermano para el otro gracias a lo que Jesucristo hizo por mí y en mí. El otro se ha convertido en mi hermano gracias a lo que Jesucristo hizo por él y en él.

El hecho de que sólo por Jesucristo somos hermanos, es de una trascendencia inconmensurable. Porque significa que el hermano con quien me enfrento en la comunidad no es aquel otro ser grave, piadoso, que anhela hermandad. El hermano es aquel otro redimido por

Cristo, absuelto de sus pecados, llamado a la fe y a la vida eterna.

Nuestra comunión consiste exclusivamente en lo que Cristo ha obrado en ambos. Estoy y estaré en comunidad con el otro, únicamente por Jesucristo.

Cuanto más auténtica y profunda se haga, tanto más retrocederá todo lo que mediaba entre nosotros, con tanta más claridad y pureza vivirá en nosotros, sola y exclusivamente, Jesucristo y su obra

Nos pertenecemos únicamente por medio de Jesucristo. Pero, por medio de Cristo nos poseemos, también, realmente los unos a los otros, para toda la eternidad[4].

La comunidad llegará a la madurez y unidad en tanto cuanto aceptemos a Jesús como HERMANO, y lo acojamos como un componente, uno más, de nuestra fraternidad.

Aceptar a Jesús significa que la comunidad lo reconoce vitalmente y admite su presencia invisible y real. Significa, también, que la comunidad no sólo lo integra como un miembro vivo sino que, sobre todo, lo considera como el elemento principal de integración.

Aceptar a Jesús significa que su presencia nos incomoda, cuestiona y desafía cuando, en el seno de la comunidad, hacen su aparición aquellas reacciones que perturban la paz. Aceptarlo significa, también, que el HERMANO nos hace sentirnos realizados en nuestro proyecto de vida, que Él desvanece nuestros temores interiores, y nos "obliga" a salirnos de nosotros mismos para perdonar, aceptar y acoger.

Aceptar a Jesús significa que respetamos y reverenciamos a cualquier hermano como al mismo Jesús, y que nos esforzamos para no hacer, en el trato general, ninguna diferencia entre el hermano y el HERMANO.

Sin Cristo, hay discordia entre Dios y el hombre, y entre el hombre y el hombre. Cristo se convirtió en mediador e hizo la paz con Dios y entre los hombres.

Sin Cristo no reconoceríamos al hermano ni podríamos llegar a él. El camino está bloqueado por el propio yo.

4. Cfr. Dietrich Bonhoeffer, *Vida en comunidad,* Buenos Aires, 1966, p. 16.

Cristo ha franqueado el camino que conduce hacia Dios y hacia el hermano. Ahora los cristianos pueden convivir en paz, amarse y servirse unos a los otros; pueden llegar a ser un solo cuerpo.

Únicamente en Jesucristo somos un solo cuerpo. Únicamente, por medio de Él, estamos unidos[5].

Sin Jesucristo, ¿qué será de un grupo de hombres o de mujeres, sin ningún fundamento que los una, sin consanguinidad, sin intereses comunes, muchas veces, sin afinidad? Podemos imaginar un posible cuadro: el predominio de los intereses, personalismos e individualismos.

Más aún. Me atrevo a decir que la institución fraterna, sin un Jesús vivo y verdadero, es un invento artificial y absurdo, fuente de represión, neurosis y conflictos, en una palabra –como ya lo hemos dicho– una escuela de mediocridad y egoísmo.

Nuestro Bonhoeffer pasó año y medio, preso, vigilado por la Gestapo, en la sección militar de Berlín. Desde allí escribió a sus parientes varias cartas que, hoy, son páginas de sabiduría. Más tarde fue trasladado a otra prisión y sometido a una vigilancia más estricta. Un día, su familia se dio cuenta de que Dietrich había desaparecido.

La Gestapo negó toda explicación. Nunca se supo más de él. Mucho más tarde se hizo luz sobre su final: acabó sus días, como un verdadero Testigo de Jesús, a manos de la Gestapo.

> Cuando Dios se hizo misericordioso, revelándonos a Jesús como hermano; cuando nos ganó el corazón mediante el amor, comenzó también la instrucción en el amor fraterno
>
> Habiéndose, Dios, manifestado misericordioso, hemos aprendido al mismo tiempo a ser misericordiosos con nuestros hermanos.
>
> Habiendo recibido el perdón en lugar de juicio, estábamos preparados para perdonar al hermano.
>
> Lo que Dios obra en nosotros, lo debíamos, en consecuencia, a nuestro hermano.
>
> Cuanto más habíamos recibido, tanto más debíamos dar. De este modo, Dios mismo nos enseña a encontrar-

5. Ibidem, p. 14.

nos, los unos a los otros, tal como Dios nos encontrará en Cristo. "Por tanto, recíbanse los unos a los otros, como también Cristo nos recibió, para gloria de Dios" (Rom 15, 7)[6].

6. bidem, p. 15.

3. LA REDENCIÓN DE LOS IMPULSOS

Las dificultades

Desde las profundidades del inconsciente, afloran a la superficie del hombre, las energías no redimidas, hijas de la "carne":

> **orgullo, vanidad, envidia, odio,**
> **resentimientos, rencor, venganza,**
> **deseo de poseer personas o cosas,**
> **egoísmo y arrogancia, miedo,**
> **timidez, angustia, agresividad.**

Éstas son las fuerzas primitivas que lanzan al hermano contra el hermano, separan, oscurecen, obstruyen y destruyen la unidad. Sin Dios, la fraternidad es utopía.

Solamente Dios puede bajar a las profundidades originales del hombre para calmar las olas, controlar las energías y transformarlas en amor.

El grito general de las ciencias humanas proclama que el hombre actúa bajo el impulso del placer. A eso llaman *motivo* de una conducta. Basta abrir los ojos para darse cuenta de que el placer, más que la convicción, es el motivo general que origina, condiciona y determina la conducta humana.

Por ejemplo: por gusto, nadie perdona. Por gusto, no se acepta a los neuróticos ni se convive con los difíciles. Por gusto, a la hora de formar una comunidad, se hace una selección eliminando a los que no son de la propia "línea", y quedándose con aquellos otros que son del propio temperamento o mentalidad.

* * *

Existe, también, el placer de la venganza y la alegría por el fracaso del adversario. Ciertas personas difícilmente disimulan la satisfacción de las derrotas ajenas. ¡Hay que ver cuánto entusiasmo despliegan cuando traman y llevan a cabo planes de represalia, maquiavélicamente urdidos, en contra de sus adversarios!

Como se ve, siempre hay un placer que motiva las reacciones humanas, y esas motivaciones nacen, a veces, en los fondos irredentos. Necesitamos un Redentor.

El motivo profundo

El éxito de la fraternidad depende de que Dios sea el Motivo de los comportamientos fraternos.

En la intimidad del hombre, entre mil posibles reacciones que se pueden tener, existe una opción. ¿Saludo o no saludo a este sujeto que, ayer, me molestó? Y a cada decisión corresponde siempre un motivo impulsor, no muy bien vislumbrado, a veces. Voy a saludarlo (decisión). ¿Motivo? Temor de perder la buena imagen ante la opinión pública. Voy a dejar de saludarlo durante tres días (decisión) para que (motivo) él tome conciencia de que me ofendió.

El motivo que impulsa y concretiza nuestra conducta es, a veces, confuso. Tuvimos una revisión de vida, en la comunidad. En el transcurso de la reflexión, un determinado sujeto tomó y sostuvo una posición altiva, casi agresiva, frente a los demás. Hablando después con él, en privado, manifestó que él procedió así porque estaba convencido de que ésa era la posición correcta. Al final reconoció que el impulso profundo de su actitud, fue la necesidad de auto afirmación.

* * *

Otras veces, los motivos que aparecen en el primer plano, no son los verdaderos impulsores, sino aquellos otros que están sepultados bajo tierra, en las profundidades. El hombre dominó una explosión, cedió en una discusión, calló en una polémica. Él cree que lo hizo por humildad o por sentido fraterno. Los verdaderos motivos fueron, sin embargo, muy diferentes: miedo al ridículo, inseguridad, timidez, temor de ser desestimado por la comunidad.

El motivo de una sobrestima de sí mismo puede llevar a un individuo a comportamientos que, a primera vista, podrían significar desestima de sí mismo. ¡Extraños juegos, motivados por resortes que vienen desde regiones muy lejanas!

* * *

Comunidad de Fe significa que los hermanos se esfuerzan para que los sentimientos, los reflejos y la conducta de Jesús sean el motivo inspirador de sus reacciones, en la convivencia de todos los días.

En un momento determinado surgieron dentro de un individuo, una legión de impulsos que motivaron la decisión, por ejemplo, de mantenerse cerrado frente a otro sujeto, de herir la susceptibilidad de un otro tímido agresivo, de minar el prestigio de un autosuficiente... En este momento, la Palabra –Jesús y sus criterios– tienen que sofocar todos esos oscuros impulsos, para que el hermano perdone, acepte, estimule a los otros miembros de la comunidad.

En esos casos, la oración debe hacer vivamente presente a Dios, cuyo "recuerdo" (presencia) debe sofocar, en mí, las voces del instinto, y motivar conductas semejantes a la de Jesús.

Una voluntad, revestida e impulsada por Jesús, debe decidir soberanamente, en nosotros, por encima de las oscuras fuerzas impulsoras, y así, en lugar de tener una reacción explosiva, voy a quedar en silencio, como Jesús ante Pilato: más tarde, voy a dialogar con calma y paz; después, voy a enterrar los recuerdos ingratos de una desaveniencia, y olvidarlo todo generosamente; ahora voy a ser con todos delicado y paciente, como lo fue Jesús con los suyos.

Así nace y crece la comunidad bajo la Palabra, en presencia de Jesús.

El inconsciente

El inconsciente es una región sumergida, oscura y amenazadora. Se parece, en primer lugar, a un enorme cementerio de recuerdos estrangulados (suprimidos o reprimidos) y apegados (olvidados). Es, al mismo tiempo, un volcán de energías primitivas que, en cualquier momento, puede lanzar una masa hirviente de impulsos agresivos.

El inconsciente es, esencialmente, egoísmo, y ahí reina solamente el código del placer: evitar lo desagradable, y conseguir todo aquello que sea placentero al egoísmo.

Por ejemplo, quiere acoger al encantador y rechazar al antipático, quiere convivir solamente con aquel que sea de su temperamento o mentalidad, ahora siente "necesidad" de tomar venganza de un antiguo agravio, más tarde siente el impulso de retirar la cara a éste, gritar aquí, inhibirse en otro momento, insultar después, ahora organizar una guerra de competencia contra el prójimo, después desmoronar el prestigio de tal otro porque eso le causa no sé qué extraña satisfacción por la vía de compensación...

Así es el inconsciente. Con otras palabras, es exactamente aquello que Dios dice a Caín:"... el pecado se esconde, agazapado, detrás de tu puerta. Él te acecha como una fiera. Pero tú tienes que dominarlo" (Gén 4,9).

Nacen los instintos y los impulsos, exigiendo urgentemente su satisfacción, y asaltan la conciencia para que ella les dé cobertura. La conciencia halla que no debe dejar vía libre, pero no siempre consigue dominar los niveles inferiores. Viene el conflicto entre ellos. Y entonces sucede aquello que dice san Pablo: "Hago lo que no quiero hacer" (Rom 7,15).

En algunas vicisitudes de la comunidad (debido a situaciones de crisis personal o colectiva, o cuando falla la oración) surgen impetuosamente, en el individuo, fuerzas inferiores y arcaicas, dominando por completo la personalidad. Como consecuencia, se producen situaciones de alta tensión, y se abren profundas hendiduras en el cuerpo de la fraternidad que, a veces, se prolongan por mucho tiempo.

Sólo la presencia viva de Jesús podría, en ese momento, atenuar y equilibrar esos campos de fuerza.

Si, en tales momentos, Jesús no está vivo en el corazón de los hermanos, nacen los conflictos íntimos y las frustraciones. Llegan también, las ansiedades que son puertas abiertas para la neurosis. Se hacen presentes las diferentes perturbaciones de la personalidad. Y por estos caminos encontramos personas desoladas, tristes y ansiosas.

* * *

Ésta es la realidad. ¿Qué hacer? ¿Cómo redimir impulsos tan primitivos? ¿Cómo llegar hasta esa región tan recóndita y explosiva?

Yo me hago una pregunta: ¿La presencia de Jesús puede redimir el inconsciente? ¿Podrá, la presencia viva de Jesús, "poblar" aquella región, iluminar aquella oscuridad, transfigurar fuerzas tan salvajes?

Me parece que no. Esa región –el inconsciente– es lo que san Pablo llama "carne", y de la carne sólo nacerán hijos de la carne, a saber:

> **Fornicación, impureza, celos, iras, rencillas, divisiones, disensiones, envidias, odios, libertinajes, borracheras, orgías y cosas semejantes** (Gál 5, 19-22).

¿Qué hacer? ¿Cómo será posible la fraternidad con semejante subsuelo? ¿Cómo hará Jesús para que el hermano no sea lobo para su hermano?

Es la conciencia la que tiene que estar alerta. Jesús tiene que estar ocupando el campo de la conciencia. Cuando, en un hermano, surjan desde el inconsciente esos impulsos violentos, y se hagan presentes en el campo de la conciencia, exigiendo satisfacción, es aquí y ahora, donde y cuando Jesús puede calmar esa tempestad.

* * *

Dicho así, todo parece un cuento feliz. Pero también en la vida, la realidad es así. La experiencia de todos los días nos lo confirma. Si, desde la región oscura llega de sorpresa hasta el campo de la conciencia, el instinto queda sosegado, y, en lugar de repulsa, habrá acogida para el hermano.

Al sentirse ofendido, surge desde las regiones profundas del inconsciente el impulso de la venganza que exige a la conciencia el código del "ojo por ojo". Me "despierto"; recuerdo a Jesús calumniado y silencioso ante los jueces, y la sed de venganza se apacigua.

De pronto tengo conciencia de que una oscura enemistad, contra el prójimo, está echando raíces silenciosamente en mi tierra. Comienzo a pensar en Jesús, pienso en su conducta y, sin otra terapia, la enemistad comienza a extinguirse, ¡y con qué facilidad!

Los hermanos tuvimos un mal momento, nos insultamos. Fueron pasando los días casi sin hablarnos. Jesús no nos dejó vivir tranquilos, hasta que tuvimos un diálogo franco y reconciliador, y llegó la paz.

Un sujeto, típicamente tímido, se sintió dominado por el impulso de fuga, debido a unas confusas desavenencias. Se acordó de Jesús, que subió a Jerusalén para enfrentar grandes dificultades, y se fue al encuentro de los demás para esclarecer, por medio de una revisión de vida, situaciones bastante oscuras, ¡y lo hizo con tánta paz!

¿Qué hacer y cómo hacer para que tanta maravilla no sea sueño sino realidad? Dos condiciones. Primero, que Jesús esté verdaderamente vivo en el corazón de los hermanos. Y esto se conseguirá cuando ellos tengan un trato frecuente y profundo con Él. Y segundo, *estar despiertos*.

Vivir atentos

En la convivencia fraterna, es preciso vivir atentos para que los impulsos no nos sorprendan, y debemos estar despiertos y preparados para neutralizar las cargas de profundidad.

Vivir atento quiere decir que esa franja de la personalidad, que llamamos conciencia, esté poblada por Jesús, un Jesús vivo y presente, para que sus reacciones sean mis reacciones, sus reflejos mis reflejos, su estilo mi estilo.

Las características de los impulsos son la sorpresa y la violencia. Cuando estamos *descuidados*, nosotros somos capaces de cualquier barbaridad, de la que nos arrepentimos después. Y decimos, ¡qué horror!, pero ya está hecho. Con un arranque agitado somos capaces de arruinar, en pocos minutos, la unidad que habíamos forjado dificultosamente durante muchos meses.

Sujeto inmaduro es aquel en quien predomina el inconsciente en mayor proporción y más compulsivamente. Estos individuos deforman la realidad, proyectando su mundo interior sobre el mundo exterior, e identificándolos. Cuanto más predominan –en una personalidad– las intenciones conscientes, mayor madurez y equilibrio. Será un miembro integrado en la fraternidad.

Aquí existe una progresión correlativa. Cuanto más se ora, Jesús está más "vivo" en el hombre. Cuanto más "vivo" está, la conciencia del hermano está más armada por esa presencia, y despierta. Cuanto más armada está su conciencia, su inconsciente está correlativamente más débil. Y de esta manera, las reacciones y conducta del individuo serán más racionales, equilibradas y fraternas.

Capítulo III

CONDICIONES PREVIAS PARA AMAR

Es necesario despertar,
descartar las ilusiones,
ficciones y mentiras,
y ver la realidad, tal como ella es.

Erich Fromm

Dejar que las cosas sean,
tal como son.

Heidegger

Para entender bien el sentido y la atención de este capítulo, es preciso tener presente las siguientes consideraciones.

Hay mucha ambigüedad en el verbo amar. Gran parte de las veces en que parece que amamos, en realidad nos amamos. El corazón humano, como acabamos de ver en el capítulo anterior, es connaturalmente egoísta. Y el camino hacia el amor está erizado de dificultades. Como ya nos lo previno san Juan, tanto el concepto del amor como el de la fraternidad, fácilmente se prestan para hacer romanticismos. Y en este libro, deseamos ser realistas; por eso queremos comenzar por sanar las raíces.

En el capítulo presente explicamos el contraste entre la realidad de la persona y la imagen de la misma. Mostramos, después, de qué manera las agresividades, antipatías y otros conflictos provienen de la fijación en la imagen, y hacemos un amplio estudio –no denunciando sino analizando– de todas las posibles distorsiones fraternas. Luego pasamos a mostrar que la imagen es ilusión, y que, tomar conciencia de ese hecho, es una excelente terapia liberadora. La fraternidad presupone conversión y humildad.

Explicamos después, cuántas energías se queman, al preocuparse inútilmente por realidades y sucesos que no podemos cambiar. Demostramos, también, cuánta paz importa el hecho de aceptar las realidades que no se pueden alterar. Traemos, finalmente, ejercicios fáciles para superar el nerviosismo y alcanzar la serenidad.

De esta manera, el hermano queda en disposición de amar.

1. LA ILUSIÓN DE UNA IMAGEN

En el observatorio de la vida, tuve el privilegio de contemplar una gran variedad de personalidades. Esta masa experimental de observación dejó en mí un conjunto de convicciones y evidencias por una parte; de intuiciones y presentimientos, por la otra. Todo eso, voy a tratar de colocarlo ordenadamente en las siguientes páginas.

* * *

La mayoría de las tristezas íntimas del hombre y de sus dificultades, en las relaciones interpersonales, nacen de la imagen que nosotros proyectamos (de nosotros mismos), cultivamos, alimentamos, servimos y adoramos. He aquí la fuente principal de las frustraciones interiores y de las colisiones fraternas.

Parece demencia o enajenación. Pero se vive así mismo: se vive entre el deseo y el temor. La mitad de la vida, el hombre lucha a la ofensiva para dar a luz, alimentar y "engordar" (inflar) la imagen de sí mismo (prestigio personal, popularidad); y la otra parte de la vida lucha a la defensiva, presa de temor, para no perder aquel prestigio.

Imagen social

El individuo es una realidad conjunta, y un conjunto de realidades.

El individuo tiene una figura física: morfología, medidas anatómicas, altura, color... Tiene un coeficiente intelectual, que puede ser ponderado y mensurado con un test. Tiene, además, una estructura temperamental, caracterología, equipo instintivo, campos de energía, reacciones primarias o secundarias... Todo ese conjunto está presidido y compenetrado por una conciencia que integra todas esas partes.

No diré que ese conjunto *pertenece* a fulano porque, en ese caso, lo haríamos propietario de sí mismo (¡gran desgracia!) sino que digo: todo ese conjunto integrado es fulano, tal individuo. A ese conjunto le endosamos un *nombre,* por ejemplo, Manuel Pérez. El nombre es una etiqueta para la diferenciación social, pero no altera en nada la realidad del sujeto.

Pues bien, a ese nombre, la sociedad lo enviste y reviste de una aureola, digamos así. Esa aureola, es lo que llamamos prestigio personal que, en el fondo, no es otra cosa sino la opinión pública –favorable– sobre tal nombre. Tiene un buen nombre, decimos.

La opinión, a su vez, es la visión que la sociedad tiene sobre tal fulano. Así pues, la sociedad que rodea al individuo tiene una *imagen* (opinión, visión) sobre tal sujeto. Expresándonos a la inversa, diríamos que tal sujeto proyecta tal imagen sobre la opinión pública. A lo proyectado llamamos el *personaje* de la persona.

* * *

A la inmensa mayoría de las personas no les interesa *lo que se es,* sino *cómo me ven.* Les interesa la imagen, más que la realidad; la mentira, más que la objetividad. Y así, el hombre de la sociedad se lanza a participar en esa carrera de las apariencias, en el típico juego de quién engaña a quién, de cómo causar mejor impresión.

Se podrían escribir libros enteros, demostrando cómo el mundo es un inmenso estadio en el que el *orgullo de la vida* juega el gran "match" de las etiquetas, formas sociales y exhibiciones económicas para competir por la imagen social, combate en el que a los hombres no les interesa ser, ni siquiera tener, sino aparecer.

Todos saben que están representando y participando de una comedia. Pero ¿qué hacer? Ya están metidos en el escenario, y no pueden salir de ahí, porque perderían su imagen. Y eso, para ellos, equivaldría a morir.

Para gran parte de los mortales, no existe mayor placer que tener una imagen espléndida, proclamada y adorada por las multitudes. Se trata, en el fondo, del deseo idolátrico del hombre, superior a todos los demás deseos y satisfacciones.

* * *

Pero yo, aquí, no estoy hablando a los mortales del "mundo" sino a los hermanos que se reunieron en el nombre de Jesús, y viven en una comunidad. Sin embargo, no raras veces, el "mundo" se traslada a estas comunidades, y, la cuestión del nombre o prestigio personal es, frecuentemente, la raíz de innumerables conflictos y fuentes de fricciones, manifiestas unas veces, sutilísimas, otras.

Imagen interior

Hemos dicho que el individuo es un conjunto de realidades, presidido por una conciencia.

Si esta conciencia posee la noción exacta de su conjunto, entonces tenemos sabiduría, que significa: visión y apreciación proporcional de la realidad. Tenemos, también, humildad. Hay tres palabras que son sinónimas: objetividad, humildad, sabiduría.

Pero en contraste con esta sabiduría, puede darse, en diferentes grados, un proceso de enajenación o locura, que consiste en que la conciencia comienza a separarse de la apreciación objetiva de su conjunto, en un doble movimiento: primero, no gusta ni acepta su realidad, sino que la resiste y rechaza.

Al mismo tiempo, desearía ser de otra forma. Ese *desearía* se transforma paulatinamente en *yo deseo*. Del desear ser así, pasa insensiblemente al imaginar ser así.

Esto es: el deseo desenfoca la visión y la visión, desenfocada, acaba por enturbiar la imagen de sí mismo; y termina, el hombre, rechazando su realidad y adhiriéndose a la imagen aureolada e ilusoria de su realidad.

Después, se pasa a confundir e identificar *lo que soy* con *lo que quisiera ser* (imagino ser). Y, poco a poco, la simbiosis avanza hacia la profundidad total, hasta que se pierde la noción de la realidad y sólo va quedando lo que imagino ser, que levanta vuelo hasta inflarse por completo, en cuanto van aumentando las distancias entre la mentira de la realidad y la realidad misma.

Y así, si nos vamos enajenando (alienando) de la realidad, ya estamos entrando, casi insensiblemente, en la esfera de la locura.

Vámonos a una montaña y situémonos en un plano inclinado, de pronunciado desnivel. El sol nos bate por un costado, y por el otro nuestro cuerpo proyecta una sombra alargada de cuarenta metros. Vamos a suponer que yo mido un metro ochenta centímetros ¿Cuál es la verdad, y cuál la mentira: mi altura real o la longitud de la sombra? ¿Dónde está la ficción, y dónde la realidad?

* * *

Y aquí nos encontramos con otra novedad: ahora entra en juego el elemento emocional. El proceso, explicado hasta ahora, había sido una actividad intelectual: era una visión, desenfocada y alucinante si se quiere, pero visión.

Pero el hombre, aquí y ahora, puede empezar a *adherirse* (emocionalmente) a la imagen idealizada e ilusoria de sí mismo. Esta adhesión puede tener, en algunos casos, un carácter *morboso*, cuando su intensidad vital es desproporcionada. En este caso, el orgullo, la vanidad y el narcisismo pueden alcanzar alturas demenciales.

Más aún, cuando la adhesión (a su imagen aureolada) toma carácter *simbiótico*, entonces sobreviene un terrible desequilibrio en toda la personalidad, y aparecen depresiones descontroladas, megalomanías, extraños complejos y locuras narcisistas como quien vive en un castillo de cristal, suspendido en el aire.

Todo esto se da en la mayoría de los mortales, aunque en diferentes grados, y en un periplo variadísimo de intensidades y coloraturas. Todavía más, la adhesión a su imagen, en ciertos grados, es un elemento positivo para la productividad en la vida, y hasta podría ayudar al crecimiento fraterno. Pero eso no desvirtúa la idea central que estamos desenvolviendo aquí, esto es, que la preocupación por la propia imagen roba la alegría del vivir, y origina gran parte de las dificultades fraternas.

Enfrentamiento de las dos imágenes

Ahora, y aquí, se encuentran, se enfrentan y se confrontan las dos imágenes: la social y la interior.

Éste es el punto de fricción, y aquí comienzan, propiamente, los problemas y desencuentros de la fraternidad. El individuo sufre y está deprimido porque no le aprecian como él cree que se merece. El otro vive preocupado porque siente que su imagen social va perdiendo esplendor, en comparación del brillo que tiene su imagen de sí mismo ante sí mismo.

Anteayer, este sujeto sufrió una profunda depresión porque le criticaron. ¿Cómo se explica una crisis tan aguda? En realidad, hubo desproporción entre la pequeña crítica y la tremenda depresión. La tal desproporción fue, precisa y exactamente, la existente entre la imagen social y la imagen inflada que el sujeto se tiene de sí mismo.

Este otro hermano no sabe qué hacer, y cómo hacer, para adecuar y hacer coincidir la imagen social con la imagen que tiene de sí mismo.

En cualquiera comunidad humana, de repente se forman dos bandos rivales. Cada grupo está capitaneado por su respectivo "líder". En un análisis en profundidad, observaremos que se trata de una guerra de "imágenes", aunque en la periferia no lo parezca. En la convivencia diaria, hasta puede parecer que las banderas de la "guerra" tengan un fulgor sacrosanto: los unos dicen que se trata de preservar los valores religiosos: los otros dicen que se trata de luchar por la promoción social. Sin embargo, detrás de tales banderas, combaten las imágenes con sus respectivos intereses. Esto, ciertamente, no siempre es así, porque, a veces, todo está mezclado; más sí generalmente.

No raras veces, las otras personas de personalidad más apagada, acoplan su propia imagen a la imagen del "líder", identificándola simbióticamente, y luchan juntos, haciendo bandera común e imagen común; y los "pequeños" se sienten crecidos.

* * *

El amor se confunde con el *aprecio* (expresión –y actitud– emocional). El aprecio es consecuencia de una opinión favorable (imagen) porque, generalmente, la opinión y el aprecio van juntos. El aprecio es adhesión. El desprecio es rechazo. Y, normalmente, existe aprecio donde existe una opinión favorable.

"Me ama" significa "me aprecia". "Me aprecia" significa "tiene una buena opinión (imagen) de mí". En última instancia, en el amor, se libra, casi siempre, la batalla de la imagen.

Este individuo se mantiene cerrado, entreabierto o abierto frente a otro, según el aprecio que el primero perciba, de parte del segundo. No me quiere significa no me aprecia. No me aprecia significa tiene una pobre idea de mí.

La falta de confianza, en cualquiera comunidad, es debida a la falta de apertura; la falta de apertura se debe a la falta de aprecio; y esto, a su vez, se debe a las imágenes deformadas que mutuamente se tienen los miembros del grupo.

Agresividad, complejos, antipatías

En la sociedad humana existe una cantidad ingente de violencia compensadora. Los sujetos irrealizados son frustrados. Los frustrados son negativos; y los negativos "necesitan" destruir, porque ellos solamente se sienten "realizados", destruyendo en los demás aquello que ellos no fueron capaces de construir.

Estos frustrados agresivos no perciben, sin duda, la diferencia entre la persona y la imagen. Sería rarísimo –sólo un psicópata– el caso de que alguien quisiera o intentara arruinar la persona del otro. Por eso, los hachazos los dan en la estatua, es decir, en la imagen de la persona; y se sienten construirse a sí mismos, derribando y destruyendo las "estatuas" de los demás.

No hay ser más temible que un frustrado. Es capaz de desencadenar cualquier cantidad de energía reactiva, por la vía de compensación, porque la frustración conduce, necesariamente, a la agresión. Los que no hacen nada, "necesitan" criticar a los que hacen algo.

Se sienten felices cuando escuchan: todo va mal. El día en que, realmente, todo marchara mal, el día en que los demás fracasaran, con la consiguiente caída de sus estatuas, estos sujetos negativos se sentirían contentos y aliviados; de alguna manera se sentirían realizados porque, ahora, su estatua fracasada quedó a la misma altura que las estatuas –también fracasadas– de los demás miembros. Como se ve, siempre estamos metidos en el juego de las imágenes.

* * *

Es impresionante observar, por ejemplo, lo que sucede con aquellos que abandonan el sacerdocio o la vida religiosa.

Meses antes –quizás años–, en cuanto están preparando su "salida", muchos de ellos critican obsesivamente la institución religiosa, la formación, la autoridad, la misma Iglesia... Necesitan destruir, confundir, justificarse; necesitan, en una palabra, que los demás fracasen para paliar su propio fracaso. Existe, en esta destructiva actitud, una complejísima red de misteriosas motivaciones que sería largo de analizar, y que trasciende el análisis psicológico y nos mete en el misterio de la Gracia.

El individuo, profundamente desengañado y desilusionado, puede también comenzar a odiar la vida.
Si no hay nada ni nadie en quien creer, si la bondad y la justicia no fue más que una ilusión disparatada, si

la vida la gobierna el diablo y no Dios, entonces, realmente, la vida se hace odiosa.

Lo que se desea demostrar es que la vida es mala, que los hombres son malos, que uno mismo es malo. Aquel que cree y ama la vida, una vez desengañado, se convertirá en un cínico y un destructor.

Esta destructividad, es la destructividad de la desesperación. El desengaño de la vida lo condujo al odio de la vida[7].

* * *

Los *acomplejados* (no hay que confundirlos con los tímidos) son especialmente peligrosos, en el sentido de la agresividad. Llevan allá abajo, en sus sótanos, un pozo de resentimiento que surge y aflora a la superficie cada vez que se presenta una oportunidad para complicar.

Como, en su intimidad, se sienten fracasados, a veces aparecen humildes, y frecuentemente causan impresión de bondad. Pero de repente, nadie sabe por cuáles misteriosos resortes compensatorios, comienzan a molestar, hasta conseguir un clima extraño.

Otras veces, todo está en calma y, en el momento menos pensado, sacan desde el subsuelo una singular carga negativa para enrarecer una situación comunitaria, y molestar a una o varias personas con intrigas y mecanismos complicados; y cuando lo han conseguido, quedan tranquilos y satisfechos. Era una "necesidad" para ellos.

Hay tiempos en que se "botan a víctimas", se ponen complicados, y permanecen así, como enfermos que necesitan atención, hasta que reciben una completa satisfacción compensatoria.

Donde nadie imaginaba, ellos vislumbran segundas intenciones. Frecuentemente son dominados por la manía persecutoria, y no pueden liberarse de esa obsesión. En el día menos pensado amanecen vestidos de tristeza y no lo

7. Erich Fromm, *El corazón del hombre*, Fondo de Cultura Económica, México, 1966, p. 27.

pueden evitar. El síntoma específico de este grupo es la envidia

* * *

La *envidia*, en sus variadas manifestaciones, es una reacción agresiva, al sentir, pálida, su propia imagen ante el resplandor de la imagen del otro.

La luz de la imagen ajena deja al descubierto la opacidad de la propia imagen. Y se siente la necesidad de eclipsar la imagen del otro. Cuando más oscura se vea la imagen ajena, más brillante se verá la suya. Cuanto más centímetros quiten a la altura del otro, este otro se siente proporcionalmente más alto, aunque, objetivamente, no haya crecido nada.

* * *

La *depresión* nace en la misma tierra, impulsada por los mismos mecanismos. La depresión se parece tanto a la tristeza que, a veces, es difícil percibir sus diferencias, y ambas están enmarcadas, generalmente, en el problema de la imagen.

Este individuo está deprimido porque no se siente aceptado; y esto significa, con otras palabras, que dicho sujeto percibe y siente la desproporción entre la imagen que él tiene de sí mismo, y la pobre imagen y poco aprecio que los demás tienen de él.

Eso que le sucede en la intimidad, lo manifiesta con expresiones como éstas: no me aprecian. Es injusto: me destituyeron del cargo. Tanto que podría rendir, y no me dan oportunidad. Son envidiosos porque son "pequeños". Algún día se convencerán, y vendrán de rodillas a pedir mi colaboración.

La depresión, sin embargo, puede tener otras raíces: cuando se trata de una depresión de carácter maníaco, y acomete violentamente a la persona con cierta periodicidad, en ese caso, la depresión surge desde una misteriosa combinación entre los códigos genéticos y la composición bioquímica de esa persona. Los hermanos que sufren de esta clase de depresión, son criaturas dignas de una profunda comprensión y respeto.

* * *

¿Antipatías instintivas? No son instintivas. Son la evocación de una historia olvidada. Vamos a suponer que yo viví una situación conflictual con un determinado individuo, hace muchísimos años. Aquel recuerdo ya está muerto y enterrado.

Si yo, ahora, sin saber cómo y sin promediar fricción alguna, siento una viva repulsa contra este sujeto, es porque aquel individuo de antaño "resucitó" en este otro, por medio de no sé cuáles asociaciones combinadas. Con otras palabras: el fenómeno debe interpretarse en el sentido de que este sujeto me recuerda y evoca, entre brumas invisibles e inconscientes, a aquel otro que, en otro tiempo, amenazó el fulgor de mi prestigio.

A eso llaman *transferencia* porque se transfiere (normalmente sin darse cuenta) el recuerdo-imagen de una persona, ausente en el espacio o en el tiempo, a otra persona presente. Como se ve entre las antipatías, llamadas instintivas, resucitan historias enterradas en el inconsciente.

Es bueno tener presente que el fenómeno de la transferencia es extraordinariamente común en las aversiones, bloqueos emocionales... Uno no debe asustarse de sí mismo ni de los demás, al sentirse dominado por emociones en las que renacen y se proyectan, sin darse cuenta, "heridas" antiguas.

Las otras antipatías, las conscientes, con sus secuelas como la agresividad verbal, críticas negativas y bloqueos emocionales... no son otra cosa sino sutiles luchas por la prevalencia de la imagen e intereses propios.

Cuando se habla, en la intimidad, con estas personas, enseguida afloran a la superficie, las motivaciones de tales antipatías: *él* no me apoyó en tal ocasión. En tal oportunidad, *él* dio un informe negativo de mí. *Él* es amigo de aquel otro que me desprecia abiertamente...

* * *

Si en todos los conflictos interpersonales subyace la preocupación por su efigie, la *racionalización* indica una manía
enfermiza por el prestigio personal.

Efectivamente, hay quienes viven de tal manera obse-
sionados por crear y conservar una buena figura ante la comunidad que su única preocupación es, siempre, *quedar bien*.
Viven temerosos de perder el fulgor de su figura social. Pero
sucede frecuentemente (¡es tan humano!) que tienen actuaciones cuestionables, y de hecho, son juzgados y criticados.

Entonces tienen "explicación" para todo. Naturalmente,
sus explicaciones son racionalización. Para excusarse, comienzan a moverse sobre la cuerda floja que está colgada
entre la verdad y la mentira, y ¡hay que ver qué acrobacias
verbales y mentales necesitan hacer para equilibrarse, para
que no peligre la estatua de sí mismos!

Ellos no son lo que son, sino lo que aparentan ser. Y su
imagen está de tal manera identificada con su persona que,
si su imagen es amenazada, se sienten en una verdadera angustia de agonía, porque, muerta la imagen, ellos tendrían
la sensación de haber muerto. Y la racionalización los libra
de ese peligro.

Y, frecuentemente, antes de que nadie les diga nada, ya
están dando explicaciones de sus actuaciones, para preservar su efigie de una eventual amenaza. Tienen pavor a la
crítica. Y los reparos que se hacen a sus ideas, ellos los inter-
pretan como ataque a sus personas. Si son heridos en su figura, se sienten amenazados en toda su existencia.

* * *

Existe una racionalización especial, típica del mundo cle-
rical de estos tiempos –sobre todo en algunas partes– por la
que todo se justifica con "teologías" y psicologías, de tal
manera que ya nada es pecado, todo está permitido, todo
depende de la propia interpretación, no existen normas objetivas, la ley necesita adaptarse a los nuevos tiempos...

Impresiona y duele ver cómo muchos hermanos llegaron a ser especialistas en esta racionalización *sui generis*. Agarran unas cuantas ideas de la pseudoteología –las ideas que les *interesa*–, toman otros cuantos principios de la psicología (sobre todo de la freudiana), hacen de todo eso una brillante y falaz combinación... y de esta manera acaban por vaciar por completo de su contenido la obediencia, la castidad...

Con estas racionalizaciones se quiere dar cobertura al egoísmo con todos sus "hijos", y al mismo tiempo amparar la imagen social. Está llena de nobleza y grandeza la actitud del publicano –y de todos los publicanos–: soy pecador, necesito cambiar, ayúdenme. Es repugnante la actitud del fariseo –y de todos los fariseos–: soy bueno, no necesito cambiar, todo lo que hago está bien por esto y por esto... y aquí vienen todas las racionalizaciones.

En el fondo de ese fenómeno persiste la preocupación egolátrica de la propia figura y de salvar las apariencias.

* * *

Lo peor que les sucede a los adoradores de sus estatuas, es la pérdida de la objetividad, a la hora de valorar los acontecimientos y a las personas.

Por ejemplo, si hay hermanos de la comunidad que no los aceptan a ellos todo lo encuentran negativo en ellos: los alumnos de fulano son los más insolentes e indolentes del colegio. La Juventud que lidera fulano está llena de frivolidad. La jornada que él organizó fue un fracaso... En realidad fue un gran éxito, excepto en la cabeza de este tal y de algún otro de su "cuerda".

Al contrario, todo lo que hace él o sus *amigos*, todo es bueno: nuestro grupo tiene gente de valer. Mi amigo tiene excelentes cualidades. Nuestro curso es lo mejor del colegio. La jornada que tuvimos fue un éxito, (cuando en realidad fue una mediocridad), etc.

El juicio del valor, narcisista, es prejuicioso y tendencioso. Habitualmente, ese prejuicio es racionalizado en una forma u otra, y esa racionalización puede ser

más o menos falaz, de acuerdo con la inteligencia y la sofisticación de la persona en cuestión.

Este individuo tiende a valorar su producción elevadamente, en casi todos los casos. Si se diera cuenta del carácter deformado de sus juicios narcisistas, el resultado no sería tan malo. Pero, habitualmente, el individuo está convencido de que no hay deformación, y de que su juicio es objetivo y realista.

Esto conduce a una grave deformación de su capacidad de pensar y de juzgar, ya que dicha capacidad se embota una y otra vez, cuando él trata de sí mismo y de lo que es suyo.

El individuo narcisista termina, pues, en una deformación enorme. El, y sus cosas, son sobrevaloradas, con el evidente daño para la razón y la objetividad[8].

8. Erich Fromm, Ibidem, pp. 82 y 83.

2. LIBERACIÓN

¿Cómo librarnos de esas ilusiones que nos arrastran a tanta preocupación íntima y a tanta desventura fraterna? No podemos vivir en esa tensión, balanceándonos siempre entre el nombre social y los sueños imposibles. No es posible la paz interior ni el amor fraterno, en tales circunstancias. Gran parte de nuestras energías son quemadas por esas preocupaciones que están al servicio de los sueños irreales.

Causa tristeza comprobar cómo se sufre, cómo se lucha, cómo se forjan tantas espadas y se rompen tantas lanzas por la apariencia efímera de un *nombre* que, al final, no es la *verdad* de la persona.

Porque lo importante, para la mayoría de los mortales, no es el realizarse sino el que me *vean* realizado. Y llaman *realizado* no a la productividad efectiva y objetiva, sino al hecho de que la opinión pública me considere triunfante y campeón. Y, subidos al potro de la mentira, vamos galopando sobre mundos irreales, temerosos y ansiosos. De la mentira de la vida, ¡líbranos, Señor!

Preparad los caminos de la fraternidad. Derribad las altas torres, construidas no con piedras sino con quimeras. Despertad de los sueños. Renunciad a la adoración de las estatuas vacías. Líbrenos Dios de tanta angustia, y permítanos entrar en el reino de la paz.

Venga, pues, el reino de la sabiduría y de la objetividad. Venga el corazón puro, desprendido de apariencias y liberado de locuras, pobre y sabio al mismo tiempo, porque el pobre siempre es sabio.

Despertar

Quede, pues, claro. El secreto de la sabiduría está en esto: en darse cuenta de que el nombre es un vacío, como la sombra. La imagen interior de sí mismo es, también, un vacío, como la ilusión. Nada de eso es real. Nada de eso es objetivo.

Despertar significa tomar conciencia de que nos preocupamos por algo irreal, de que vivimos al servicio de una ficción, de que estamos haciendo en la vida una representación teatral, como aquellos que fabrican unas figuritas, y hacen gestos, y gastan las mejores energías en esa pantomima.

Despertar incluye el convencerse de que lo importante es ser, poner en movimiento todas las potencialidades hacia la máxima plenitud, dentro de nuestras limitaciones. No vale la pena sufrir y preocuparse por apariencias que son hijas de la fantasía. Despertar significa liberarse de la tiranía de las ilusiones.

Pues bien; darse cuenta de todo eso ya es *liberarse*. Sólo con eso desaparecen las preocupaciones inútiles, y llega la paz. Por mi observación de la vida, me convencí de que los hermanos, para vivir en armonía fraterna, necesitan, en primer lugar, de la paz interior.

Muchas veces y en muchos hermanos, he percibido en sus rostros tensos la falta de paz. Y eso era, principalmente, fruto de las preocupaciones íntimas por su efigie, por hablar con una palabra. Y con esas cargas es imposible desenvolver relaciones armoniosas con los demás.

Los hermanos, en cuanto se den cuenta de que están perdiendo la paz por apariencias inexistentes, por causas que no vale la pena de sufrir, van a sentir alivio y paz; y ahora, sí, podrá haber gozosa armonía con los demás miembros de la comunidad.

* * *

El hombre –y sus energías– no fue creado para vivir separado del hermano. No son energías de separación sino de unión. Sólo accidentalmente, por excepción, y casi *contra natura,* las energías humanas son usadas en contra del hermano, porque, por su tensión interna, ellas estaban destinadas a la unión.

Amar (realizarse) significa, primariamente –repetimos– tomar conciencia de que estábamos soñando, acabar con la adoración de mi propia estatua, romper todas las ligaduras que me ataban a mi yo, sentirme libre, ser lo que soy, transformar la agresión en amor, y utilizar tanta energía para estimular, animar y acoger a los hermanos. Nos sentiríamos plenos.

Si el lector hiciera una experiencia de despertar, tomaría conciencia de que, la imagen que tanto le preocupaba, era vana ilusión, y entonces sentiría la sensación de un tremendo alivio, automáticamente se evaporarían las antipatías, los resentimientos, y todo sería paz, unión, amor. Es una experiencia liberadora.

Ésta es la sabiduría.

* * *

¿Qué es el *nombre*? Una etiqueta acoplada a una imagen: un vestido. ¿Y qué es la imagen? Otra etiqueta, acoplada a la persona: vestido también. ¿Qué significa, qué es, por ejemplo, el nombre de Antonio Pérez? Voz, soporte de aire que sustenta una figura, y la figura sustenta una opinión. Lo importante es la persona. Lo decisivo no es la imagen ni el nombre, sino que yo sea verdad, producción, amor.

Todo esto significa humildad.

Este despertar es una verdadera purificación transformadora; es la conversión que nos introduce en el reino de la sabiduría. La sabiduría nos remite al reino del amor.

Ahora sí podemos hablar del amor fraterno.

* * *

Esta es la *disposición* que Pablo pedía a los fieles de Filipo: la disposición de Jesús. Él, a pesar de su condición divina, no hizo alarde de su categoría de Dios; al contrario, se despojó de su rango, y tomó la condición de esclavo, pasando por uno de tantos. Y así, actuando como un hombre cualquiera, se rebajó hasta someterse incluso a la muerte, y una muerte de cruz.

Siendo omnipotente, no soñó en omnipotencias. Renunciando a todas las ventajas de ser Dios, se sometió a todas las desventajas de ser hombre. Es, en la escena de la Pasión, donde resplandece el poder y la sabiduría.

Basta mirar a la intimidad de Jesús y pronto nos daremos cuenta de que Él no tenía imagen inflada de sí mismo, no había en Él adhesión a su "yo" porque no tenía "yo" y por eso se comportó, en esas escenas, con tanta libertad, tanta serenidad y tanta grandeza. No le importaba nada, ni los insultos ni las injusticias. Estaba desligado de todo. Por eso se sentía libre. Porque era libre fue libertador. Sólo los libres pueden libertar.

Al máximo despojo corresponde la máxima libertad, a la máxima libertad corresponde la máxima grandeza. En Getsemaní, el Padre asumió la voluntad de Jesús. Con esta entrega total en las manos del Padre, Jesús quedaba sin nada: no tenía discípulos, amigos, frutos de los trabajos, fama, sangre, vida... Quedaba sin nada. Si no tenía nada, no tenía nada que perder; era el hombre más libre del mundo porque era el hombre más pobre del mundo. Por eso, nunca se comportó con tanta grandeza y libertad como en las escenas de la Pasión, porque, al que nada tiene y nada quiere tener ¿qué le puede turbar?

Si Juan dice que, al final, se colmaron todas las medidas de amor, en Jesús, fue porque a la máxima humildad corresponde el máximo amor, lo que sucede también en la fraternidad.

Jesús atravesó el escenario de la Pasión vestido de silencio, dignidad y paz, porque se había vaciado completamente; había barrido, dentro de Él, hasta el polvo de la estatua de sí mismo. Era la Pureza total. Por ser tan humilde, se comportó tan grande. Al final nos amó sin medida porque había llegado al colmo del vaciamiento y de la humildad.

Para poder amar, es necesario ser pobre y vaciarse al máximo posible. Ésta es la manera concreta y eficiente de prepararse para una hermosa fraternidad.

Intereses y propiedades

El pobre y humilde Francisco de Asís fue un sabio, porque todo ser despojado tiene una mirada limpia para apreciar la proporcionalidad del mundo. Aquel sabio no intentó fundar una orden sino una fraternidad itinerante de hermanos penitentes y testigos de la Resurrección. Le interesaba, por encima de todo, que fueran *hermanos*. Pero, como era un sabio, se dio cuenta de que es imposible que los hombres de una comunidad sean hermanos, si, previamente, no son *menores*.

Y, a la hora de organizar la nueva *forma de vida,* coloca el Sermón de la Montaña como la única condición y posibilidad para que los hermanos puedan ·establecer relaciones interpersonales de reverencia, apertura y acogida. Hay que comenzar por derribar estatuas, retirar propiedades, desligarse de los intereses propios, vaciarse, barrer hasta los escombros, dejar todo limpio y expedito para que el hermano haga su entrada en nuestro recinto interior.

Sólo los puros pueden amar. Los puros son aquellos que no tienen intereses, no tienen nada que defender, no tienen por qué desconfiar y por qué tener sus puertas cerradas, ya que no esconden ninguna propiedad. Sólo ellos pueden abrirse, sin recelo y sin cálculo, a sus hermanos.

* * *

Francisco de Asís se dio cuenta de que toda propiedad es potencialmente ·violencia. Siempre sucede lo mismo: la propiedad fácilmente se siente amenazada. Al sentirse amenazada la propiedad sacude y tironea al propietario, pidiéndole que la defienda del peligro. Es esto lo que significa aquel adagio romano *res clamat dominum,* las propiedades reclaman a su dueño. Y entonces el propietario echa mano de las armas para defender sus propiedades. Y se enciende la guerra.

Cuando el obispo Guido preguntó a Francisco: "hermano Francisco, ustedes, ahora, son pocos; pronto serán muchos, van a necesitar bienes para el sustento diario. ¿Por qué no permites unas propiedades para los hermanos?". Francisco respondió: "Porque si tuviéramos propiedades, necesitaríamos armas para defenderlas". Parece una respuesta ingenua, pero está llena de sabiduría y profundidad.

El mínimo y dulce hombre de Asís se dio cuenta, por la observación de la vida, que si los hermanos están llenos de intereses y propiedades, infatuados con su propia imagen, llenos de adherencias a mil cosas, hechos y personas, sucederá que, en la convivencia diaria, saltarán los intereses de los unos contra los intereses de los otros, y la fraternidad volará por los aires, hecha mil pedazos. Esto es: donde había propiedades, se hizo presente la violencia

* * *

Basta observar un poco la vida de las comunidades, y analizarla en sus reacciones y motivaciones. Pronto nos daremos cuenta de que, cuando los hermanos se sienten amenazados en su prestigio, en alguna secreta apropiación, saltarán defensivamente a la pelea, para la seguridad de sus posiciones, y de la defensiva pasarán a la ofensiva.

Y en el seno de esa comunidad, se harán presentes, como chispas de fuego, aquellas armas adecuadas que aseguran las propiedades, a saber: rivalidades, enemistades, venganzas, bloqueos emocionales, críticas destructivas, acusaciones, grupos rivales... En una palabra, allí donde había propiedades, se hizo presente la violencia, que acabará sembrando división y muerte. Imposible la fraternidad, sin humildad y pobreza de corazón.

* * *

Por eso, Francisco de Asís, en lugar de decir a los hermanos ¡ámense unos a otros!, coloca ante sus ojos el programa de la humildad, y pide a los hermanos, "en el nombre de nuestro Señor Jesucristo", que se esfuercen por adquirir "benignidad, paciencia, moderación, mansedumbre y humildad", en su peregrinación por el mundo.

Es evidente que, si los miembros de una comunidad se colocan en un esfuerzo de conversión, por adquirir mansedumbre, humildad, paciencia, moderación... no es necesario darles grandes explicaciones teológicas ni apremiantes consejos de unidad. Aquella casa será el hogar más gozoso y más dulce del mundo, admiración para los que lo observan e interrogación para los que no creen en Cristo Jesús.

El hombre de Asís ve claramente que los enemigos de la fraternidad están dentro del hombre, y pide al hermano que luche decididamente por resistir y vencer la "soberbia, vanagloria, envidia, avaricia, cuidado y solicitud de este mundo". Estas son las altas murallas que, irreductiblemente, separan al hermano del hermano. Es inútil hablar de amor fraterno, si no hemos saneado el corazón, de todas las yerbas, culebras y espinas. ¿Qué nos hacemos con podar lindamente las ramas, si las raíces quedaron llenas de gusanos?

Es imposible ser hermano si no es previamente, menor. De ahí la nomenclatura dada, con su genial intuición, a sus seguidores: *hermanos menores*.

Por resumir todo, acaba, Francisco, por pedir estas cuatro actitudes: "humildad, paciencia, pura simplicidad y verdadera paz de espíritu". ¡Palabras preciosas! Si los hermanos no hicieran otra cosa que tomar, como programa de vida, estas cuatro palabras, tratando de vivirlas, ya estaríamos, *ipso facto*, creando la armonía fraterna. Esos hermanos sabrán respetarse, reverenciarse, acogerse, animarse. ¡Qué cosa más estupenda, cuando los hermanos viven unidos bajo un mismo techo!

Desligarse

Para amar, es necesario ser libre. Nuestras desgracias provienen del hecho de extender un cordón umbilical, el cual siempre encadena, y por ende, esclaviza. Todo cuanto ata, sujeta. Y el sujetado no es sujeto sino objeto. Toda ligadura es, pues, sujeción. Una cosa es tener, y otra retener. Una cosa es usar, y otra apropiarse. Voy a explicarme.

Nosotros tenemos, vamos a suponer, cualidades y valores. Tenemos por ejemplo, inteligencia, simpatía, cargos, estudios... En la clásica mentalidad ascética, siempre se miró con recelo a las cualidades humanas. Usted tiene muchas cualidades, ande con cuidado porque puede perder su vocación, se decía. Si las cualidades emanaron de Dios, son "hijas" de Dios; ¿cómo podrían ser enemigas de Dios?

¿Dónde está, pues, el peligro real? El peligro comienza y se consuma, cuando se extiende emocionalmente un cordón umbilical (adherencia, ligadura) entre una cualidad determinada y mi yo. Con otras palabras, cuando utilizo tal cualidad (inteligencia...) para mi provecho exclusivamente personal; cuando me identifico con mis propias cualidades y valores, y las exploto y las utilizo tanto en cuanto me producen autosatisfacción, vanidad, emoción.

* * *

Cuando se da el narcisismo puro, todo queda referido a mi yo: aquella intervención que tuve; aquella persona que me alabó; esta colaboración que me han pedido; estas personas tan importantes que me consultan, etc.

Y la cabeza anda, durante todo el día, dando vueltas y recordando las cosas emocionantes y satisfactorias para la vanidad, en cuanto va "engordando" la imagen de su yo, entre delirios de mayores grandezas, y entre mayores temores de perder el brillo de su imagen.

A todo esto se llama *apropiarse, hacerlo mío*. Y eso consiste en extender una carga emocional de anexión entre mi yo y esos hechos o personas, mientras el hombre se va transformando en un propietario de sí mismo dentro de una simbiosis esclavizante. Porque, ¿Quién sujeta? ¿Quién es el sujetado? ¿Quién es el sujeto? ¿Quién pertenece a quién: la cualidad a la persona, o la persona a la cualidad? Todo está mutuamente encadenado. Nadie es sujeto. Todos (y todo) están sujetados.

Evidentemente, esta persona está incapacitada para amar. Se amará sólo y siempre, a sí mismo. No puede amar a nadie. Él amará, en los demás, aquel aspecto que haga referencia, directa o indirecta, a él mismo: en cuanto lo resalta, en cuanto lo valora. En una palabra, amará, en el otro, *aquello* de lo cual, él se apropia de alguna manera.

Para poder amar, este sujeto tiene que *liberarse* de tanta apropiación. Y para eso existe un solo camino: desligarse.

* * *

Toda libertad se obtiene cortando una ligadura. Si estoy atado, con una cadena, a una pared, desligar consiste en romper la cadena, y yo quedo liberado.

Si estoy acostado, y no puedo dormir porque me molesta el ruido de la calle, significa que yo extendí un enlace entre mi atención y el ruido callejero. Basta desligar la atención, y yo quedo libre, y duermo. Antes el ruido era "dueño", para mí, porque me dominaba y yo no era libre. Ahora que me desligué del ruido (desentendiéndome), yo soy el "dueño" (del ruido) porque lo domino: soy libre y puedo dormir.

Si mi oído funciona normalmente, mi oído (no yo) sigue oyendo, durante toda la noche, el tic-tac del reloj despertador. Sin embargo, el tic-tac no me molesta y duermo en paz, porque mi atención está desligada de ese sonido. Es decir, el cerebro está desligado del oído, oye mi tímpano, pero *yo* no escucho. Desligarse es liberarse.

No puedo estudiar porque me molesta ese griterío de la casa vecina. Eso significa que extendí una conexión entre mi atención y el griterío. Si corto la conexión (me desentiendo de las voces) es como si el griterío no existiese, y ahora puedo estudiar. Las cosas comienzan a "existir" desde el momento en que ligo la atención a ellas.

* * *

Avanzando hacia mayor profundidad, aquello que dijeron contra mí, si yo quedo ligado con aquella crítica, sufro y me irrito. Pero si yo fuese capaz de cortar el enlace entre mi atención y aquella crítica, sería como si aquello nunca hubiese existido, y yo quedaría completamente tranquilo. Llevamos, dentro de nosotros, la llave de la libertad y del amor: el desenlace.

La antipatía es una negra ligadura (adherencia) entre mi yo y aquella persona. Existe, dentro de mí, esa sensación amarga de resentimiento, porque yo le *doy vida,* al recordar aquella persona y aquellos hechos. Recordar es ligar mi atención con aquella persona. *Perdonar es desligarse.* Por eso perdonar es liberarse. Si yo fuese capaz de perdonar (desligarme) sentiría un inmenso alivio.

El fracaso (y todos los recuerdos ingratos) es una adherencia emocional que extendemos entre mi atención y aquel resultado negativo. En cuanto subsiste ese vínculo atencional, el fracaso duele y oprime. Si consiguiéramos cortar ese vínculo mental, el fracaso desaparecería, como si realmente no existiese. Somos nosotros los que *damos vida* a nuestras desgracias. Recordar es atarse. Olvidar es liberarse.

El temor, en general, es una ligadura de mi atención a una persona, a un compromiso futuro, a una enfermedad o un fracaso.

Cuando este vínculo es muy fuerte, entonces, además de temor, tenemos angustia. Si fuésemos capaces de desvincularnos de ese enlace mental, desaparecerían todos los temores. Somos nosotros los que *damos vida* a nuestros "enemigos", sean personas o sucesos.

El temor de la muerte es el enlace emocional y atencional más vigoroso. Aquí quedan enlazadas dos realidades substanciales: la vida y la persona. Esa ligadura se desvincula con un acto profundo de abandono en las manos del Padre, como Jesús, y llega una inmensa paz. Paz y libertad son, vivencialmente, una misma cosa, causan la misma sensación. Miles de veces escuché las dos expresiones juntas: ¡qué paz!, ¡qué libertad!

* * *

Estoy presentando al lector caminos de liberación para que los hermanos puedan amarse, en la comunidad. Los obstáculos definitivos para el amor están dentro del hombre, y aquí estoy señalando los medios para remover esos obstáculos, para poder amarse unos a otros.

La adhesión es un vínculo emocional, y casi siempre inconsciente. Siempre que hay temor, tristeza, envidia, nerviosismo, agitación, angustia o resentimiento, es porque hay, sin darse cuenta, alguna adherencia a personas o sucesos del pasado, presente o futuro, por vía de rechazo o por vía de apropiación. Con la desvinculación mental, consciente y voluntaria, nosotros seríamos capaces de eliminar esos síntomas, que acabo de citar.

Para ello, es necesario que el hermano se habitúe a darse cuenta de estas vinculaciones emocionales, que se establecen en su interior originados, casi siempre, por mecanismos condicionados y reflejos. El hermano necesita despertar. Debe acostumbrarse a detectar tales enlaces mentales, y cortarlos con un acto de voluntad.

Sería una excelente terapia purificadora. Con ella, el hermano se sentiría libre, conseguiría la paz, y podría relacionarse armónicamente con sus hermanos. No basta con entender. Es necesario ejercitarse. Se necesita paciencia. Los caminos de la libertad (para amar) son estrechos y largos. Debe hacerse acompañar por la esperanza.

Dejar que las cosas sean

Causa pena observar cuántas energías consumen inútilmente los seres humanos por preocuparse de sucesos y realidades que ellos no los pueden cambiar. Toda preocupación es adhesión, sea por temor o por deseo.

El hombre –lo estamos repitiendo– para desenvolver relaciones interpersonales armoniosas, necesita calma y paz. Y esa paz es amenazada, frecuentemente, por los acontecimientos que suceden en torno del hermano. En ese caso, el hombre queda adhesivamente *fijado* en tal suceso, lo que le causa una perturbación general, la cual, a su vez, origina –en él– reacciones compulsivas frente a los demás miembros de la comunidad.

Necesitamos paz para poder amar, y dos cosas roban la paz y traen la guerra: la resistencia y la adhesión.

La resistencia es una energía liberada en contra de algo o alguien. La adhesión es un enlace emocional, tendido entre mi persona y otro alguien o algo. En el temor pueden estar presentes, simultáneamente, dos emociones reactivas, opuestas entre sí: la de la adhesión y la de la resistencia. Vamos a suponer, por vía de ejemplo, que me van a promover de este lugar o de este cargo. Siento resistencia por la eventual remoción porque existe en mí una profunda adherencia emocional a dicho cargo. Hay que puntualizar que el temor es, siempre, una energía desencadenada para la defensa de un interés, que se siente amenazado.

* * *

Para obtener y mantener paz interior, se abre a nuestra vista la vía de una sabiduría, simple y global, que se resume en estos principios: ¿Puede cambiar algo? ¡Cámbielo! ¿No puede alterar nada? ¡Déjelo! Si fuésemos aplicando estas consignas, en cada momento, a la universalidad de la vida, amanecería sobre los horizontes de nuestra alma, el gran día de la paz, profunda y universal. Todas nuestras energías quedarían libres y disponibles para el servicio de los demás.

Nuestras angustias provienen de varias áreas. En primer lugar, de la esfera, llamaríamos así, intra-personal. Se sufre mucho porque se resiste mucho, comenzando por detalles exteriores como medidas anatómicas, color, peso... No me gusta esta nariz, estos ojos, este cabello... Si me avergüenza algo de mi persona, soy mi propio enemigo, y estoy en guerra conmigo mismo. ¿Puede alterar algo de eso? ¡Hágalo! Si no puede cambiar nada, ¿qué se consigue con lamentarse? ¡Deslíguese y déjelo!

Los años vuelan. La fiesta de ayer es sólo un recuerdo. La juventud se nos escapó como un sueño olvidado, y nunca volverá. Se aproxima el atardecer, y pronto se apagará todo. Todo es irreversible: no se puede dar ni un solo paso para atrás. Inexorablemente caminamos hacia el abismo. ¿Puede cambiar algo de esto? ¿Qué se consigue con protestar? ¿Para qué resistir? Deslíguese y deje que las cosas sean así. Acepte todo, tal como el Padre lo organizó[9].

9. Muchos de estos conceptos están tratados en el Cap. IV. Y la materia íntegra será exhaustivamente abordada en un libro que espero escribir en el futuro y que se titulará "En tus manos".

Acepte con paz el hecho de no ser aceptado por todos. Acepte con paz el hecho de querer ser humilde, y no poder; el hecho de no ser puro como quisiera. Acepte con paz el hecho de que, con grandes esfuerzos, va a conseguir pequeños resultados; y el hecho de que la marcha hacia la perfección sea tan lenta y pesada. Acepte con paz la condición pecadora: el hecho de hacer lo que no quisiera, y el no poder hacer aquello que quisiera.

Acepte con paz las leyes inherentes a la condición humana: contingencia, precariedad, mediocridad y toda limitación. En todo esto, ¿puede mejorar algo? Ponga toda la generosidad para transformarlo. Pero cuando, en cada momento, se encuentre con las limitaciones absolutas, deje que las cosas sean tal como son. No resista. Son asuntos del Padre. ¿Alguna vez, alguien fue su consejero?

* * *

Acepte con paz, contra todos los sueños de grandeza inmortal, el hecho de que, después que hayan terminado sus días, todo siga igual como si nada hubiera sucedido en este mundo, como dice Storm en su poesía "A una muerta":

> **No puedo soportar**
> **que, como siempre, el sol ría;**
> **que, como cuando tú vivías,**
> **marquen los relojes, toquen las campanas,**
> **alternen sin descanso noche y día.**
>
> **Que cuando decrece la luz diurna,**
> **llegue, como siempre, la noche;**
> **y que otros ocupen el lugar**
> **en que te sentabas**
> **y que nadie parezca echarte de menos.**
>
> **Mientras tanto, los rayos de la luna,**
> **filtrados y peinados por las rejas,**
> **se entrecruzan sobre tu tumba.**
> **No lo puedo soportar...**

En una palabra, todo sigue igual. Acepte con paz la ley de la insignificancia humana.

* * *

Acepte con paz el hecho de que los ideales sean siempre más altos que las realidades. Acepte con paz el saber que, en cada empresa que acomete, al final va a encontrarse, casi siempre, con un pequeño regusto a frustración. Acepte con paz su deseo de agradar a todos, y no poder; el deseo vehemente de llegar a una profunda intimidad con Dios, y que el camino sea tan lento y difícil.

Contra todos los sueños de omnipotencia, fósiles de la infancia, se encontrará con tanta limitación, en todas sus latitudes. Saque energías de sus pozos interiores; y si algo puede alterar, sea generoso y supere sus propias medidas y las del mundo. Pero, en la marcha de su vida, no permita que ninguna frontera absoluta le irrite o le deprima. Venza todos los imposibles, aceptándolos con paz. Póngase en las manos del Padre; y el árbol de la paz crecerá en su huerto, y cubrirá todo con la sombra de la paz.

* * *

En segundo lugar, las angustias provienen también de los acontecimientos, que nacen y mueren fuera de la esfera personal. El hombre, sin embargo, establece una corriente emocional con aquellos hechos o personas *haciéndolos suyos* de alguna manera, y sufre o goza.

No se sabe por cuáles misteriosos impulsos, el individuo extiende una comunicación, sea de simpatía o de repulsa, con tal o cual personaje, movimiento político o sucesos deportivos. Y, según como sean las alternativas que acompañan a aquella institución o persona, sufre o disfruta al compás del fracaso o del éxito. Y ¡cuánto sufre, cuánto miedo pasa y cuánta energía quemada!

Eventos religiosos, políticos o deportivos, en el área local o mundial, suscitan en el interior del hombre un temblor de emoción. Él y otros miembros de la comunidad viven algunas veces expectantes, tensos, temen, desean, consumen energías. La jornada pasó, el combate concluyó. Gran descarga emocional. Surgen nuevos líderes, otras instituciones. A la resistencia o adherencia a las nuevas situaciones, corresponde euforia o depresión, según los altibajos. Y sigue girando la rueda de la historia, mientras se consuma nuestra existencia y la vida sigue igual. ¿Puede hacer algo para poner orden y mejoría en todo esto? ¡Hágalo! De otra manera, ¿para qué resistir? Deslíguese y deje que las cosas corran y sean.

* * *

Las leyes decisivas del universo son la impermanencia y la transitoriedad. Todo esto que llamamos "fenómeno", eso que vibra y brilla, eso es como la caña de bambú: no tiene sustancia, está vacía.

Todo lo visible y temporal está sujeto a un cambio incesante. Todo fluye, todo se diluye. Todo está en perpetuo movimiento; su esencia es moverse: no *ser* sino *acontecer*. No existe substancia estable o sujeto general al cual podamos referir los fenómenos empíricos que observamos en el universo o en la historia del hombre.

La esencia de la historia, fenomenológicamente hablando, es –repetimos– la transitoriedad y la impermanencia. Todo aparece y desaparece, nace y muere.

Abrimos hoy el periódico, y quedamos conmovidos por una noticia internacional. Mañana abrimos de nuevo el periódico, y ¡otra noticia más sensacional!; la noticia del día anterior quedó caducada. La esencia misma de la historia es *pasar, suceder*.

En esta ciudad, hace trescientos años, vivía una generación, con sus dramas y pasiones. Hace doscientos años, otra generación, con sus propios dramas. Hace cien años, otra generación. Ahora, otra. Después de un siglo, otra. Pasan las generaciones, arrastrando, cada una, sus dolores y alegrías al abismo del silencio. Un día, pasará también la ciudad, llevándose a hombros su carga histórica[10].

* * *

10. Desde la perspectiva de la fe, existe, naturalmente, un sentido y un estilo a lo largo de la transhistoria. Y el creyente tiene que combatir con esperanza y paz, colocando todas sus energías. Pero nuestras consideraciones, aquí, se hacen desde el punto de vista fenoménico.

Todo cuanto pasa, no tiene esencia. Lo que perece por la acción del tiempo, lo que está sujeto a la corrupción y a la muerte, todo eso no es *verdad*. Las ilusiones del yo y los sentidos exteriores, ofrecen como real lo que, de verdad, es irreal, inútil y doloroso, como aquel que intentara agarrarse a una sombra. La existencia empírica, el rodar de la historia y del mundo, todo eso es algo precario, efímero, ficticio, en una palabra, aparente.

No vale la pena sufrir, alimentar adherencias y rechazos, miedos y deseos, por algo que no tiene consistencia. Este suceso mundial, que hoy nos da pavor, mañana será sustituido por hechos más espeluznantes, los cuales serán sustituidos por otros. Y así, la historia marcha airosa en la rueda voltaria del tiempo, en un *perpetuum mobile*, sin que exista un sujeto o soporte universal.

Ilusiones, apasionamientos, ansiedades, fantasías, miedos, proyectos..., todo es arrastrado inexorablemente al océano de la inexistencia. ¿Para qué sufrir? Nada queda vibrando, todo es sepultado en el templo del silencio, igual que los ríos son sepultados en el mar. La transitoriedad impone su ley sobre todo aquello que comienza. ¿Para qué soltar anclas sobre fondos vacíos? Deje que los fenómenos nazcan, brillen y desaparezcan como luciérnagas. El Padre lo dispuso así. Él nunca pasa. Él permanece para siempre. El Padre es la *Realidad*.

Cuando uno piensa en ciertas épocas agitadas de la historia de los pueblos, en la historia de las comunidades y en mi propia historia... llena de locuras, histerias, guillotinas, secuestros, caída y sepultura de hegemonías mundiales, auge y colapso de partidos políticos... uno acaba preguntándose: y de todo aquello, ¿qué queda? El silencio, con su manto, lo cubrió todo.

Eso que apasiona, ¿depende de usted? En ese caso, reúna las energías y libre el buen combate para mejorar todo aquello que puede ser alcanzado por tu influencia. Pero si no puede hacer nada, si la solución no está al alcance de su mano, ¡déjelo! ¿Para qué quemar energías, inútilmente? ¿Qué se consigue con resistir un imposible? Todo lo que comienza, acaba. Sólo Dios queda. ¡Paz en el alma y armonía con los hermanos!

* * *

Cuando un hermano, mediante la observación y la meditación, llega a la convicción vital de la transitoriedad de cuanto lo rodea, cuando deja que las cosas sean y se desliga emocionalmente de cuanto no vale (no le "importa" lo que no importa), desde ese momento, ese hermano queda inundado de una paz profunda, lo mismo que cuando el fuego de la lámpara se apaga, al consumirse por completo el aceite.

Una roca, en el mar, puede ser combatida por los ciclones, pero ella permanece inconmovible. Asimismo sucede con el hermano que llegó a esta sabiduría: queda tan afirmado en la paz que no lo pueden remover ni las alabanzas ni los vituperios, y alcanza la serenidad de quien está por encima de los vaivenes de la vida.

Liberado de la preocupación por el acontecer imprevisible, el hermano permanece como un lago profundo, sereno y claro. Si los hermanos se pusieran en camino hacia la sabiduría y la humildad, ¡qué dulzura vivir los hermanos juntos! ¡Cuánta energía liberada y disponible para organizar las batallas libertadoras a favor de todos los explotados y olvidados de este mundo!

Cuando un hermano está triste o abatido, o se halla en la cúspide de la crisis, a menudo se deja llevar por la impresión de que esa situación se va a perpetuar, y eso aumenta su angustia. Pero no sucede así. A las pocas horas o días, todo pasó. Si, en el momento agudo, se diera a sí mismo un toque de atención, recordándose que todo es transitorio, se ausentaría la tristeza y nacería la paz.

* * *

Este hermano llegará, poco a poco, a tener un corazón desprendido, pobre y humilde. Al desligarse, cuando él lo quiere, de hechos y personas, adquirirá un gran dominio de sí y de sus emociones, hasta encontrarse en una latitud a donde no llegan las mareas pasionales.

Tiene plena conciencia de sí, pleno dominio de sí, en cualquier circunstancia de la vida. Vive despierto. Ya trascendió la relatividad, y colocó las cosas en orden: lo relativo en su lugar, y lo Absoluto en su lugar.

En este momento se halla en disposición ideal para amar.

Su relación con los hermanos de la comunidad estará tejida de comprensión, bondad y fortaleza.

Ahora puede meterse en el mundo tenso de la defensa de los pobres y explotados. No se quebrará por las incomprensiones, ni se desalentará por las dificultades.

3. CALMARSE, CONCENTRARSE, UNIFICARSE

Nerviosismo

La observación de la vida me ha llevado a la conclusión de que el nerviosismo es un producto típico de la sociedad tecnológica en la que vivimos, y es también una de las causas más importantes de los desencuentros fraternos en las comunidades. Es la enfermedad del siglo.

Entiendo por nerviosismo una superproducción de energías neuroeléctricas, en estado de descontrol, en una persona determinada. El acento se ha de poner, no tanto en la excesiva carga nerviosa, sino en el concepto de falta de control. Porque si las cargas energéticas estuvieran debidamente controladas y canalizadas, una sobrecarga de energía nerviosa podría enriquecer poderosamente una personalidad.

Esa incapacidad de control debe de tener diversas causalidades; algunas de las cuales están, seguramente, escondidas en niveles inferiores de la personalidad, como por ejemplo, las deformaciones genéticas, frustraciones... Eso lo dejamos por sabido.

Pero la sociedad mecanizada es, según me parece, la fuente principal de los nerviosismos. La televisión y el cine mantienen la imagen en perpetuo movimiento, delante de nuestros ojos. Todas las técnicas buscan la rapidez y la eficacia, y nos meten en una carrera competitiva, casi en estado de "guerra" psicológica. Vivimos inundados de "flasches", de noticias de último minuto... Todo eso constituye una agresión a lo más sagrado de una persona: su integridad interior.

¿Qué se siente? Según los cálculos de Marcuse, la producción industrial internacional da a luz a los enemigos que penetran y atacan la interioridad; ellas son la dispersión, la distracción y la diversión. El hombre comienza a desintegrarse íntimamente, se le escapan las riendas de los impulsos. En lugar de ser dueño, se siente dominado. En lugar de sentirse unidad, se siente como una yuxtaposición de pedazos de sí mismo, que lo tironean en todas direcciones: recuerdos por aquí, proyectos por el otro lado, emociones por todos los lados.

Y el hombre se siente vencido, por dividido; derrotado por desintegrado. Esto es el nerviosismo. El fruto es el desasosiego. Dicho vulgarmente, el sujeto se siente infeliz. El último eslabón puede ser eso que llaman "stress", es decir, una fatiga depresiva en su estado más profundo, debido a que esa dispersión consumió muchas energías.

Quede, pues, claro: la superproducción de energía nerviosa proviene de la desintegración de la unidad interior. No olvidemos cuánta energía libera la desintegración del átomo de uranio.

* * *

En el último análisis las enfermedades del alma y los comportamientos inmaduros son acumulaciones nerviosas, instaladas en tal o cual campo de la personalidad. Así, por ejemplo, la misma energía, en tal persona y tal situación, toma la forma de envidia. La misma carga energética, en tal persona, toma la forma de tristeza y así sucesivamente.

Si una persona es irascible por naturaleza, cuando ella está excitada, aumenta la ira. Si otro sujeto sufre manías persecutorias, al estar nervioso se agudiza notablemente el grado maníaco. Si un otro tiene tendencias melancólicas, al estar en una crisis nerviosa, sus tendencias pueden alcanzar grados muy altos. Cuando un grupo está dominado por una crisis nerviosa colectiva, enseguida se hacen presentes las respuestas bruscas y otras reacciones compulsivas.

De estos hechos, es fácil sacar unas conclusiones. En primer lugar, es imposible la armonía fraterna entre hermanos

tensos. En segundo lugar, cualquier ejercicio que los ayude
a relajarse y controlarse es un auxilio inestimado e impres-
cindible para crear una verdadera fraternidad.

Ejercicios para serenarse

Quiero hacer constar que todos los ejercicios que voy a
describir a continuación, yo mismo los he utilizado numerosas veces, con miles de personas en los *Encuentros de Experiencia de Dios*, a fin de preparar a los grupos para el momento
de la intimidad con Dios.

A lo largo de estos años he ido puliéndolos, cambiando
muchos detalles, según los resultados que yo mismo observaba, buscando siempre la mejor practicidad. Expresamente voy a omitir, aquí, ejercicios complicados. Entrego unos
medios, simples y fáciles, que cualquier principiante puede
practicarlos, por sí mismo y sin necesidad de guía, y con
resultados positivos.

* * *

Advertencias:

1) Todos los ejercicios deben hacerse lentamente y con
grande tranquilidad. No me cansaré de repetirlo. Cuando
no se consigue el trato normal, generalmente es porque falta
serenidad.

2) Todos estos ejercicios pueden hacerse con los ojos cerrados, o abiertos. Si se ejercita con los ojos abiertos, ténga-
los fijos (no rígidamente sino relajadamente) en un punto
fijo, sea en la lejanía o en la proximidad. A cualquier parte
que mire, lo importante es "mirar hacia dentro".

3) La inmovilidad física ayuda a la inmovilidad mental
y a la concentración.

Es muy importante que durante todo el ejercicio reduz-
ca la actividad mental al mínimo posible.

4) Si en el transcurso de un ejercicio, comienza a agitarse, lo que al principio sucede con frecuencia, déjelo por el

momento. Cálmese por un instante, y vuelva a comenzar. Si alguna vez la agitación es muy fuerte, levántese y abandone todo, por hoy. Evite, en todo momento, la violencia interior.

5) Tenga presente que, en un principio, los resultados serán exiguos. No se desaliente. Recuerde que todos los primeros pasos, en cualquier actividad humana, son dificultosos. Necesita paciencia para aceptar que el avance sea tan lento, y mucha constancia.

Los resultados suelen ser muy dispares. Habrá días en que consigue con facilidad el resultado esperado. Otras veces, todo le será difícil. Acepte con paz esta disparidad, y persevere.

6) Casi todos estos ejercicios producen sueño, cuando se consigue el relajamiento. Es conveniente practicarlos en las horas más desveladas.

Para aquellos que sufren de insomnio, se aconseja hacer cualquiera de los tres primeros ejercicios, sobre todo el primero, al acostarse. Diez minutos de ejercitación lo sumirán en un plácido sueño.

7) Después de experimentar todos los ejercicios, puede quedarse, según el fruto que perciba, con aquel o aquellos que le van mejor. Puede, también, hacer una combinación con varios de ellos. Puede, también, introducir modificaciones, en cualquiera de ellos, si observa que así le va mejor.

8) Después de un grave disgusto, de un momento fuertemente agitado o de una fatiga depresiva, retírese a su cuarto; y unos quince minutos de ejercitación lo pueden dejar parcial o totalmente aliviado.

Para perdonar, para librarse de obsesiones o estados depresivos, utilice estos ejercicios. Al principio no conseguirá resultados. Más tarde sí, sobre todo si se deja envolver por la presencia del Padre.

* * *

Preparación. –A cada ejercicio debe preceder esta preparación.

Siéntese en una silla o en un sillón. Tome una postura cómoda. A ser posible, no recueste las espaldas. Haga que el peso de su cuerpo caiga equilibradamente, sobre su columna vertebral erecta. Ponga las manos sobre las rodillas, con las palmas hacia arriba, y los dedos sueltos.

Esté tranquilo. Tenga paz. Sienta calma. Sin demorar mucho, vaya "tomando conciencia" de los hombros, cuello, brazos, manos, estómago, piernas, pies . . . y "siéntalos" sueltos.

Sea un "observador" de su movimiento pulmonar. Acompañe mentalmente el ritmo respiratorio. Distinga la inspiración de la expiración. Respire profundo, pero sin agitarse.

Cálmese. Vaya, poco a poco, desligándose de recuerdos, impresiones interiores, ruido y voces exteriores. Tome posesión de sí mismo. Permanezca en paz.

Esta preparación debe durar como unos cinco minutos, y nunca debe faltar, al principio de cualquier ejercicio.

* * *

Puede hacer estos ejercicios, si quiere, sentado en el suelo, sobre algún cojín, cruzadas las piernas (si eso le molesta, con las piernas estiradas) apoyándose ligeramente en la pared con todo el tronco (inclusive la cabeza) de tal manera que se sienta completamente descansado, y haga la preparación indicada.

Se puede hacer, también, acostado en el suelo (sobre una alfombra: eso beneficia a la columna) o en la cama, boca arriba, extendidos los brazos junto y a lo largo del cuerpo, a ser posible sin almohada.

Si, en cualquiera de estas posturas, siente molesto algún músculo o miembro, debe cambiar de posición hasta encontrar la postura descansada.

Ejercicio del VACÍO

¿Qué se pretende? –Sucede que las tensiones son acumulaciones nerviosas, localizadas en los diferentes campos del organismo. La mente (el cerebro) los produce, pero se sienten en los diferentes lugares del organismo. Si paramos el motor (la mente), entonces aquellas cargas energéticas desaparecen, y la persona se siente descansada, en paz,

Este ejercicio consigue, pues, dos cosas: relajamiento y control mental.

¿Cómo se practica?–Puede practicarse de cualquiera de estas tres maneras:

a) Primero, preparación.

Después, con gran tranquilidad, pare la actividad mental, "siéntase" como si su cabeza estuviera vacía, "experimente" como si en todo su ser no hubiera nada (pensamientos, imágenes, emociones...), pare todo. Le ayudará a conseguir esto, si, suavemente, va repitiendo *nada, nada, nada...*
Haga eso durante unos treinta segundos. Luego descanse un poco. Después vuelva a repetirlo. Y así, practíquelo, unas cinco veces.
Después de practicar bastante, tiene que sentir que, no solamente su cabeza sino también todo su cuerpo, todo está vacío, sin corrientes nerviosas, sin tensiones. Sentirá alivio y calma.

* * *

b) Preparación.

En el primer momento, cierre los ojos, imagínese estar ante una inmensa pantalla blanca. Con esto, su mente queda en blanco, sin imágenes ni pensamientos durante unos treinta segundos más. Abra los ojos. Descanse un poco.
En el segundo momento, cierre los ojos, imagine estar ante una pantalla oscura. Permanezca en paz. Su mente quedará a oscuras, sin pensar ni imaginar nada, durante unos treinta segundos o más. Abra los ojos. Descanse un poco.
En el tercer momento, imagine estar ante una piedra grande. Esa piedra "se siente" pesada, insensible, muerta. Mentalmente, haga como que usted fuera como esa piedra, y "siéntase" como ella, y quede así inmóvil durante medio minuto, o más. Abra los ojos. Descanse.

En el cuarto momento, usted imagine "ser" como ese gran árbol, "siéntase" por un minuto como ese árbol: vivir sin sentir nada. Abra los ojos. Tiene que encontrarse aliviado y descansado.

c) Preparación.

Tome el reloj en sus manos, quede inmóvil, mirándolo.

Con gran tranquilidad, fije sus ojos en la punta del segundero. Siga con su vista el rotar del segundero, durante un minuto, sin pensar ni imaginar nada. Su mente está vacía.

Repita eso, unas cinco veces.

Si se le interfieren las distracciones, no se impaciente. Elimínelas, y continúe tranquilamente.

* * *

A modo de evaluación, pregunté muchas veces a los grupos, cuál de las tres modalidades les ayudaba a conseguir el vacío. Casi unánimemente me respondían que la primera modalidad (letra a).

Ejercicio de *RELAJAMIENTO*

¿Qué se pretende?– Este ejercicio pretende, directamente, relajar y pacificar todo el ser. Indirectamente, consigue el dominio de sí y la concentración mental.

Consigue, también –cuando se hace bien– eliminar las molestias neurálgicas, y aliviar los dolores orgánicos.

¿Cómo se practica? –En primer lugar, la preparación.

Cierre los ojos, hágase presente *todo usted* (su atención completa) en su cerebro, identificándose con su masa cerebral. Con atención y sensibilidad detecte aquel punto exacto que le molesta o está tenso. Con gran tranquilidad y cariño, muy identificado con ese punto, comience a decir, pensando o hablando suavemente: *Cálmese, sosiéguese, esté en paz...* repitiendo varias veces esas palabras, hasta que la molestia desaparezca.

Luego pase (con su atención) a la garganta, y haga lo mismo hasta que todo quede relajado.

Después pase al corazón. Identifíquese intencionalmente con ese noble músculo, como si fuera una "persona" diferente. Es necesario tratarlo con gran cariño, ya que lo maltratamos frecuentemente (cada euforia y cada disgusto es una agresión). Quede usted inmóvil, con paz y cariño, "ruegue": *cálmese, funcione sosegadamente, más lentamente...* Repita esas palabras varias veces hasta que el ritmo cardíaco se normalice.

Los tesoros más grandes de la vida serían esos dos: control mental y control cardíaco. ¡Cuántos disgustos se evitarían! Estarían de sobra muchas de las consultas médicas, se prolongaría la vida y se viviría en paz. Con paciencia y constancia pueden adquirirse.

Luego pase al área grande del estómago y pulmones. Recuerde dónde se siente el miedo, la ansiedad y la angustia: en la boca del estómago. Quede inmóvil, y detecte, con atención y sensibilidad, las tensiones y las acumulaciones nerviosas, y tranquilice todo diciendo las mismas palabras de arriba.

Si en este momento siente algún dolor orgánico, pase mentalmente ahí, y alivie ese dolor con las palabras de arriba.

Reinando la calma en su interior, haga un paseo rápido por la periferia del organismo. "Sienta" que la cabeza y el cuello, en su parte exterior, están relajados. "Sienta" que están sueltos y relajados, los brazos, las manos, espalda, abdomen, piernas, pies...

Para terminar, experimente, de un golpe e intensamente, lo que voy a decir en este momento: *en todo mi ser reina una completa calma.*

Ejercicio de CONCENTRACIÓN

¿Qué se pretende?–Dos cosas: la facilidad para controlar y dirigir la atención, y en segundo lugar, unificar la interioridad.

¿Cómo se practica?–Haga la preparación.

Quieto, tranquilo, con la actividad mental reducida al mínimo posible, perciba el ritmo respiratorio. No pensar, no imaginar, no forzar el ritmo, simplemente percibir el movimiento pulmonar durante unos dos minutos. Sea espectador de sí mismo.

Después, más inmóvil y tranquilo todavía, quede atento y sensible a todo su organismo, y detecte en alguna parte de su cuerpo los golpes cardíacos. Repito: en cualquiera parte de su cuerpo. Cuando los haya localizado (vamos a suponer, por ejemplo, en el contacto de los dedos, o en otra parte) quede "ahí", centrado, atento, inmóvil durante unos dos minutos, "escuchando".

Finalmente llegamos al momento más alto de la concentración: *la percepción de su identidad personal.* ¿Cómo se hace? Es algo simple y posesivo. No pensar, no analizar sino percibirse. Usted percibe y usted, simultáneamente, es percibido. Usted queda concentradamente consigo, identificado consigo.

Para conseguir esta impresión, que es la cima de la concentración, le ayudará el decir suavemente varias veces: *fulano* (diga mentalmente su nombre) *yo soy yo mismo... Yo soy mi conciencia...*

Ejercicio AUDITIVO

¿Qué se pretende?–Concentrarse.

¿Cómo se practica?–Haga la preparación.

Quede inmóvil, mirando a un punto fijo, tome una palabra y vaya repitiéndola lentamente durante unos cinco minutos, en cuanto todo va desapareciendo en su interior. Sólo queda la palabra y su contenido.

Las palabras pueden ser éstas: *paz, calma, nada...*
Para ayudar a la oración, puede ser: *mi Dios y mi Todo.*

Ejercicio VISUAL

¿Qué se pretende? –Concentración y unificación.

¿Cómo se practica? –Haga la preparación.

Tome una imagen (por ejemplo una figura de Cristo, de María, o un paisaje), en una palabra, una estampa que a usted le evoque mucho.

Colóquela en las manos, delante de sus ojos. Con gran tranquilidad y paz, extienda su mirada sobre la imagen durante un minuto.

En segundo lugar, durante unos tres minutos, trate de "descubrir" los sentimientos que la imagen evoca para usted: intimidad, ternura, fortaleza, calma...

En tercer lugar, trate de identificarse con esa imagen, y sobre todo con los "sentimientos" que descubrió. Y acabe el ejercicio "impregnado" con esos mismos "sentimientos".

Capítulo IV

AMOR OBLATIVO

La rosa existe sin un porqué;
florece por florecer.
No se da atención a sí misma
ni pregunta si la miran.

Silesius

> *Cualesquiera sean las quejas del neurótico, cualesquie-*
> *ra sean los síntomas que presente, todos ellos tienen su*
> *raíz en la incapacidad de amar, entendiendo por amor la*
> *capacidad de sentir preocupación, responsabilidad, respe-*
> *to y comprensión hacia la otra persona.*
> *La terapia analítica es, esencialmente, una tentativa*
> *de ayudar al paciente a recuperar su capacidad de amar.*
> *Si no se cumple esta finalidad, sólo pueden lograrse cam-*
> *bios superficiales.*

E. Fromm

Erich Fromm, *Psicoanálisis y religión*, Buenos Aires, 1967, p. 115.

1. DAR LA VIDA

¡Amor! Palabra mágica y equívoca.

¿Qué es el amor? ¿Emoción? ¿Convicción? ¿Concepto? ¿Ideal? ¿Energía? ¿Éxtasis? ¿Impulso? ¿Vibración? Lo que se vive, no se define. Tiene mil significados, se viste de mil colores, confunde como un enigma, fascina como una sirena.

Hay quienes piensan que no existe diferencia entre el amor y el odio, y que éste es la otra cara de aquél. Otros dicen que el egoísmo y el amor son una misma energía. Y así es. Sólo cambia el destinatario. Las calles están llenas de cantares, y los cantares están llenos de amor. En nombre del amor se inventan bellas mentiras, en su nombre la muerte se viste de vida y –¡cuántas veces!– la vida se viste de muerte.

Sus banderas son una rosa y un corazón. Dicen que su cúspide más alta es el amor de una madre. Pero nos hablan también de las madres posesivas que, parece que aman hasta el paroxismo, cuando en realidad se aman a sí mismas. Todo está lleno de equívocos. Necesitamos poner claridad.

Fuente primera del amor

El hombre más sensible del Evangelio, respecto del amor, es Juan. Sus pensamientos y decires cristalizan en la preocupación fraterna. Tanto en el cuarto evangelio como en sus cartas, el amor fraterno es como una densa melodía que recorre las páginas, ilumina todo y lo llena de sentido. Ningún guía tan experto como Juan para esta peregrinación por los senderos de la fraternidad. En su compañía subiremos, a contra corriente, el río de la historia, hasta llegar al Manantial original de las aguas inmortales: Dios.

Juan comienza por identificar dos palabras: Dios y Amor. Ambas expresiones, para él, son como una estrella y otra estrella: contienen el mismo fuego. Si decimos que Dios es Amor, podemos agregar que donde está el Amor, allí está Dios. Caminando sobre la misma cadena, podemos llegar a otra conclusión: donde no hay amor, allí no está Dios; y donde no está Dios, no puede haber amor.

Pero si, donde no está el amor, estuviera Dios, o donde estuviera Dios, no hubiera amor, en los dos casos estaríamos ante la Mentira. En este punto, Juan se pronuncia con una radicalidad que asusta y espanta.

> **Aquel que dice: yo amo a Dios,**
> **y se desentiende de su hermano,**
> **es un mentiroso.**
>
> **¿Cómo será posible amar a Dios,**
> **a quien no se ve,**
> **si no se ama al hermano**
> **a quien se ve?**
>
> **El mismo Señor nos ordenó:**
> **el que ama a Dios**
> **ame también a su hermano** (1Jn 4, 20).

El amor siempre está en tensión porque extiende sus alas sobre dos polos. Comienza por abrirse hacia su interior. Es la fase implosiva: primero explota para dentro.

Todavía no había días ni distancias, y en el misterioso Hogar trinitario, las tres divinas personas originaban las relaciones, y las relaciones originaban las personas, en un circuito perpetuo de vida. Una corriente vital envolvía y penetraba, y de tal manera unificaba a las tres personas que todo era común entre ellas: poder, sabiduría y amor.

Esta vitalidad inefable e infinita surgía desde los abismos insondables, atravesaba e irrigaba, como un río, las tres santas personas; en sus aguas se miraban, se conocían y se amaban, y así, los tres eran *UNO*. De esta manera, en la quieta tarde de la eternidad, el amor fue un incendio que se consumió para adentro, acumulando una infinita carga implosiva.

* * *

Y cuando fue tanta la acumulación, no pudo contenerse y Dios comenzó a abrirse hacia fuera: es decir, vino la fase explosiva. Siempre sucede lo mismo: la potencia expansiva del amor es de la misma medida que su potencia implosiva.

Y Dios se salió de sus "fronteras", y se derramó en diferentes tiempos y maneras. Acompañó al hombre sobre la arena del desierto. De día lo cubría contra los rayos solares. De noche, para evitarle el temor, tomaba la forma de una brillante antorcha de estrellas. El Señor plantó su tienda cerca del hombre, en viaje, junto a las palmeras. Se transformó, además, en espada y trompeta en boca de los profetas. Hizo proezas increíbles.

Después de tanta cosa, cuando los tiempos llegaron a su madurez, rebasó toda imaginación, entregándonos lo que más quería: su Hijo.

> **Dios envió a su Hijo único**
> **a este mundo**
> **para darnos vida eterna**
> **por medio de Él.**
>
> **No somos, pues, nosotros,**
> **los que hemos amado a Dios.**
> **Fue Él, el primero en amarnos** (1Jn 4, 10.19).

* * *

Juan continúa. Si nosotros deseamos participar de la luminosa naturaleza de Dios, sólo nos queda una vía para esta divinización: la del amor, porque Dios es Amor. .

Y como amar significa *dar*, solamente *dándonos*, nos divinizaremos. Pero darse ¿a quién? Y en este momento, Juan se despreocupa de su coherencia lógica, abandona la dirección vertical y, contra lo esperado, toma la vía horizontal. ¡Extraño!

Me explico. El amor, brotando del corazón del Padre, se derramó entre los hombres, mediante Jesucristo, verdadero canalizador. Ahora hubiéramos esperado que Juan continuara su disertación, diciendo: ya que, amor con amor se paga, si Dios nos ha amado de esta manera, nosotros, ahora vamos a pagarle con la misma moneda, devolviéndole el mismo amor.

Pero, en lugar de seguir esa línea vertical, Juan se sale por la tangente:

> **Si Dios nos ha amado**
> **de esta manera,**
> **nosotros debemos amarnos,**
> **unos a otros,**
> **de la misma manera** (1Jn 4,11).

Así, pues, para que el amor pueda regresar, colmado y maduro, a la Fuente original del Padre, tendrá que dar un amplio rodeo por las tierras de la fraternidad, en un largo proceso de maduración.

E instalado firmemente en el seno fraterno, Juan consolida su territorio ocupado, con vigorosas expresiones.

Queridos míos, tomen nota de esto: como saben, ningún mortal vio ni verá un segmento del fulgor de Dios. Pero sepan que, si nos amamos unos a otros, Él mismo, personalmente, habitará en nosotros, y nosotros nos convertiremos en brillantes espejos, y Dios se hará visible para todos los hombres. Nosotros hemos creído en el amor porque hemos sentido, en nuestra propia carne, el amor original del Padre. Sí; nosotros sabemos experimentalmente que Dios es Amor. Y, si nos amamos unos a otros, nuestras raíces permanecerán plantadas en el corazón del Padre, y su amor crecerá en nuestro corazón (1Jn 4, 19).

> **Amémonos unos a otros**
> **ya que Él nos amó primero.**

* * *

Llegado a este punto, Juan se detiene, desconfiado. Conocía muy bien el árbol humano. En el esplendor verde de su follaje había encontrado tantas emociones y tan pocos frutos...

Juan les previene para no dejarse engañar, ya que en esto del amor, la verdad y la mentira cantan al mismo compás. Si alguien, en este mundo, nadando en riqueza y, al ver a su hermano hambriento, queda impasible ¿cómo podemos decir que el amor de Dios reside en ese corazón?

> **Cuidado, queridos míos:**
> **en esto del amor**
> **es fácil emocionarse**
> **y decir palabras lindas.**
> **Pero lo que importan son los hechos** (1Jn 3, 17).

Vía oblativa

Entonces, ¿cómo amar? ¿cuál es el criterio para distinguir las emociones de los hechos? Juan responde:

> **Él dio su vida por nosotros.**
> **Y así, ahora, nosotros**
> **debemos DAR LA VIDA**
> **por nuestros hermanos** (1Jn 3, 16).

Un amor exigente y concreto, dentro de la ley de la renuncia y de la muerte. En otras palabras, no un amor emotivo sino oblativo.

Con tales palabras, Juan despeja las ambigüedades, desciende hasta el fondo del misterio, y nos da una definición radical e inequívoca del amor fraterno.

Amar oblativamente consiste en *dar la vida*.

* * *

¿Qué significa *dar la vida*, en el contexto de los escritos de Juan?

Hay que tener presente que no se trata de dar algo: tome este regalo, acepte esta limosna. Se trata de *darse*. Ahora bien, para *darnos*, tenemos que *desprendernos*, y todo desprendimiento es doloroso y envuelve un sentido de muerte.

Si le doy este reloj, yo no sufro porque no hay desprendimiento. Pero si intento darle mi piel, antes de dársela, tengo que desprenderme de ella. Y eso, sí duele. Todo lo que está adherido vitalmente a la persona, como en el caso de perdonar, adaptarse... antes de *darme* necesito desligarme de una adherencia, y ese desprenderse de algo vivo es morir un poco.

Amar oblativamente es *morir un poco*.

* * *

Con esta luz joanina, vamos a descender a la arena de la vida, y con unos ejemplos, comprobaremos la veracidad y realismo de esta definición oblativa del amor fraterno.

Supongamos que, en la comunidad, hay un individuo que, por diferentes circunstancias históricas o temperamentales, produce en mí un fuerte rechazo. ¿Cómo amarlo? Si dejo que surjan en mí los impulsos naturales, sin poder evitarlo, voy a tener una espontánea manifestación adversa. ¿Qué hacer? Tengo que *negarme* (Mt 16, 24) a esos instintos, *violentarme* (Mt 11, 12) en la repugnancia que me causa ese sujeto (desprenderse: suprimir un impulso natural de resistencia) y *darme* en forma de aceptación.

Tengo que morir a algo *mío*, muy vivo. Una oblación.

Por gusto no se perdona, tampoco por una idea. Para *darme* en forma de perdón a aquel sujeto que me desprestigió, tendré que llevar la muerte a los impulsos de represalia, morir a algo *mío*, muy *vivo* que es el resentimiento, olvidar viejas heridas, y darme en forma de perdón.

Esto no causa ninguna emoción: no es un amor emotivo. Más bien, produce dolor, por eso es un amor oblativo.

No sé si yo proyecto o transfiero a este individuo algún personaje olvidado, pero el hecho es que su presencia me irrita. Si me dejara llevar por las reacciones espontáneas, uno procedería atropelladamente respecto de él. Para actuar en forma bondadosa, con él, tengo que *dar la vida,* suprimiendo los impulsos violentos, y *darme* en forma de paciencia.

¿Imposible el amor oblativo?

Después de haber conocido muchas comunidades y recibido tantas consultas personales, uno sabe cuántas resistencias se interponen entre los hermanos, a lo largo de una convivencia: transferencias, proyecciones, reacciones de autoafirmación y agresividades de todo color... Eso es lo espontáneo.

Existe, como lo hemos explicado, el principio del placer, que es el gran motivo de la conducta humana. *Dar la vida* es contrario al principio del placer. El amor oblativo, en una esfera meramente humana, es utopía. ¿Cuál sería el "principio del placer" que motivaría conductas oblativas? Es Jesucristo mismo, a condición de que Él esté verdaderamente vivo en el corazón de los hermanos. En este caso, Él es capaz de causar mayor satisfacción que cualquiera otro motivo, y se constituye en la gran Recompensa. Sólo el HERMANO Jesús, vivo y presente, sana, calma, unifica. De esto ya se ha hablado.

En caso contrario, no es posible el amor oblativo. Supongamos que nació una fuerte y mutua aversión entre dos individuos. Se sienten como dos personas separadas por un campo minado. ¿Quién soluciona esto? ¿Qué psicoterapias, qué idealismos o conceptos románticos habrá en el mundo que puedan eliminar esas barreras y unir esos corazones? Humanamente, eso no tiene solución. Recuérdese lo dicho sobre el inconsciente. ¿Qué hacer? ¿Separarlos y colocarlos en diferentes casas? Pero eso, ¿sería solución o evasión?

La solución, en este caso, tiene que venir desde afuera. El libertador que nos sacará de este callejón sin salida es Jesucristo. Sólo Él puede bajar a la región indómita y "redimir" las cuerdas del corazón. Sólo Dios puede invertirlo todo: las fuerzas de resistencia en fuerzas de acogida, la violencia en suavidad...

Sin oración, es imposible el amor oblativo. Y sin amor oblativo no es posible la vida en fraternidad. Cualquiera podría replicarme: es imposible la vida de oración sin la vida de fraternidad. Es verdad. Estamos metidos en un círculo vicioso. ¿Quién rompe este círculo? Una vez más, Dios mismo. Sólo por Él y en Él se puede romper el primer eslabón, el de perdonar. A partir de eso, el círculo queda abierto y la vía expedita.

* * *

Hay quienes dicen que el amor oblativo está en contra de la espontaneidad. ¿A qué llaman espontáneo? ¿A todo lo que surge naturalmente desde el inconsciente instintivo? Entonces, sí, el hombre para el hombre será un lobo. Pero yo pregunto, ¿será bueno, en el nombre de la espontaneidad, dejar sueltos todos los instintos de venganzas, envidias y reacciones compulsivas? En estas condiciones, ¿sería posible una comunidad? ¿Y en qué acabaría la sociedad humana?

Además, hay otra cosa. Los que así hablan, vienen del campo freudiano, es decir, en principio, de una esfera sin fe. Y, ciertamente, sin fe, no es posible la oblación. Pero, sin fe, ¿quién redime el corazón humano? ¿Qué *medios de redención* nos ofrecen los *analistas*? Podrán ayudar a la hora del diagnóstico, pero a la hora de la salvación, ¿de qué medios o remedios disponen?

Amistad y fraternidad

No podemos tomar un bisturí, hacer una vivisección, y señalar fronteras en la estructura de la personalidad, diciendo: hasta aquí llega la influencia de los impulsos vitales, aquí comienzan las convicciones de fe. Hasta aquí la fraternidad, desde aquí la amistad. Todo está en una combinada proporción. Pero nosotros, para entendernos, tenemos que dividir y distinguir.

Subyacen en la substancia misma de la persona aquellos gérmenes que originan lo que llamaríamos el *amor de amistad*. Son fuerzas de relación. Nacen con uno. Vienen en la sangre. Pueden estar, algunas veces, estimuladas por circunstancias históricas, pero en general son congénitas.

De partida, vamos a darles un nombre: *afinidad*.

Se trata de una simpatía natural que brota espontáneamente entre dos personas. Antes de encontrarse las dos personas, ya preexistía. Bastó que las dos personas se hicieran mutuamente presentes, y despertó aquella fuerza simpatizante.

Es fácil de percibirlo y difícil de expresarlo. La gente, para expresarlo, ha acuñado en el lenguaje popular, ciertos decires: *me cae bien; no es de mi tipo.* Otras veces hablan así: *éste me gusta y no sé por qué; a aquel otro no lo puedo ver, y no sé por qué.* Como se ve, se trata de fuerzas subjetivas, de carácter emocional, que esconden sus raíces en el submundo inconsciente. No tienen lógica ni explicación racional. Generalmente, quedan fuera del alcance del psicoanálisis, aunque es posible que algunas veces entren en juego algunos elementos inconscientes de transferencia o proyección, igual en las simpatías que en las antipatías. Pero, en general, no son razones históricas sino genéticas.

Ese *no sé qué* –así habla la gente– por el que, estas dos personas, desde el primer día en que se conocieron, nació entre ellas una viva simpatía, como por generación espontánea, se relacionaron siempre a las mil maravillas, convivieron hasta la muerte en una feliz armonía, a pesar de que sus criterios, en muchas cosas, eran divergentes.

Ese *no sé qué,* por el que estas dos personas, aunque tuvieron una convivencia armoniosa durante treinta años, nunca consiguieron ser *amigos,* a pesar de que nunca, entre ellos, hubiese habido una seria desavenencia.

En acústica, cuando dos instrumentos están en un mismo número de vibraciones, al ser percutido uno de los instrumentos, el otro entra automáticamente en vibración, si está cerca. En este caso, se dice que los dos instrumentos están *en las mismas armónicas.*

La afinidad psíquica consistiría en eso: en que las dos personas están *en las mismas armónicas.* Ese "parentesco" psíquico no se busca, no se cultiva, está o no está; y su existencia no depende de la voluntad de las personas.

* * *

Después de esta explicación, es fácil entender que la amistad nace de la afinidad.

La amistad no es otra cosa que el cultivo de esa simpatía preexistente. Es el desarrollo de las *armónicas* subyacentes en las dos personas. Basta poner en contacto esas fuerzas empáticas, como dos polos, y nació la amistad, ¡y con tánta naturalidad!

Así, pues, la raíz del amor de la amistad es el fuego natural y espontáneo de la afinidad.

La raíz del amor de la fraternidad es la fe, como lo vimos. La fraternidad evangélica es una comunidad en fe, bajo la Palabra.

* * *

El amor de la amistad es *natural*, espontáneo. No se necesita cultivarlo: brota naturalmente, como la simiente en contacto con la tierra fértil.

El amor de la fraternidad *no es espontáneo*, sino fruto de una convicción. El motivo del amor, en este caso, no es un impulso vital sino los criterios de fe. El amor de la fraternidad pasa por encima de las reacciones impulsivas (me gusta, no me gusta; me ofendió; no me acepta...), y descubre en el otro, al *hermano*, porque su Padre es mi Padre, y mi Dios es su Dios.

No importa que haya o no haya, entre él y yo, consanguinidad o afinidad. Hay en común algo más importante: una raíz subterránea que arma y sostiene diferentes existencias: el Padre. De tal manera que allá, en la substancia original paterna, él y yo somos una misma y sola realidad. Esta convicción nace de la fe.

El amor de la amistad es, por su propia naturaleza, *particular* o restrictivo. Después de las explicaciones dadas, esta afirmación resulta obvia. Nace y crece tan sólo entre aquellos que están constituidos de unas mismas vibraciones psíquicas, sólo entre ellos. Esa *feliz armonía* es una llama viva de fuego. Para encenderlo, tiene que haber contacto de dos polos vibrantes y armónicos.

El amor de la fraternidad es *universal*. El amor fraterno se caracteriza por su falta de exclusividad. Cualesquiera y como quiera sean las peculiaridades personales que nos diferencian, son las raíces las que nos unen y nos mantienen en la identidad.

> **El psicoanálisis muestra que el amor, por su misma naturaleza, no puede quedar restringido a una persona. Quien ame sólo a una persona, y no ame a su "prójimo", demuestra que su amor es un apego de sumisión o de dominación, pero no de amor.**
>
> **El amor que únicamente puede sentirse hacia una sola persona, demuestra, por este mismo hecho, no ser amor, sino vinculación simbiótica[11].**

Como dijimos más arriba, no podemos hacer dicotomías. En toda fraternidad hay bastante dosis de amistad, y en la amistad puede haber algunos grados de fraternidad. Todo está combinado. Es bueno que las comunidades se pregunten con frecuencia: ¿qué es lo que prima en nuestras relaciones: la amistad o la fraternidad?

* * *

¿El cultivo de la amistad obstruye o favorece la vida fraterna?

No estamos pensando en las amistades posesivas que entorpecen el crecimiento de la personalidad. Toda amistad es don de Dios, tiene madera noble y, por su naturaleza, envuelve a los amigos en un círculo de calor y luz.

Hablando en general, si se cultiva la amistad sin control y medida en el seno de una comunidad, por muy noble que sea en sí misma la amistad, podría transformarse en una cuña divisoria, clavada en el árbol de la fraternidad, debido a su naturaleza restrictiva, particularmente en las pequeñas comunidades.

Pero en el caso de la comunidad, cambian las circunstancias. Tenemos que tomar conciencia de que, en una fraternidad, por su naturaleza, deben desplegarse las relaciones interpersonales entre todos los miembros, en una conviven-

---

11. Erich Fromm, *Ética y Psicoanálisis*, México, 1966, p. 143.

cia común, y en un relacionamiento universal. Así lo exige la misma naturaleza social de la fraternidad.

Si estos dos hermanos-amigos se dejan llevar, con toda espontaneidad, del impulso de afinidad, existente entre los dos, y conducidos del deseo natural de estar juntos, conviven gran parte del tiempo... es evidente que la convivencia general va a sufrir las consecuencias porque no van a cultivar la convivencia con los demás hermanos, puede sobrevenir la división y pueden producirse cortocircuitos en el edificio fraterno.

Sin renunciar a la noble amistad, estos amigos –que, antes que amigos, son hermanos– tendrían que ejercer un control sobre sí mismos, tomar conciencia y recordarse muchas veces la naturaleza de la sociedad que integran, así como de las obligaciones que derivan de allí, para proceder en consecuencia.

Tensiones y vida fraterna

En una comunidad puede haber verdadera fraternidad sin que exista eso que llamo *feliz armonía*. Con otras palabras: la presencia de dificultades no significa, necesariamente, ausencia de vida fraterna. Pueden coexistir tensiones y fraternidad.

Imaginemos una comunidad compuesta de hermanos de temperamentos divergentes o de criterios opuestos. En un momento dado, una aguda discusión los llevó a una ruptura emocional que acabó en un estado de relaciones paralizadas. El HERMANO no los dejó en paz. Un día, antes de la misa de fraternidad, se reunieron en el nombre del Señor, hubo una completa reconciliación, y todo comenzó de nuevo. Eso mismo sucedió otras veces.

Estos hermanos no llegan a una *camaradería*, debido a sus personalidades fuertes y divergentes; pero allí reina una hermosa fraternidad, hay mucho amor oblativo, *dan vida* –y mucha vida– en cada reconciliación, aunque no lleguen a la feliz convivencia de *compañeros*. Hay tensión y reconciliación. Allí, la fraternidad es un comenzar de nuevo.

Y al revés: otra comunidad puede parecerse a un club de viejos amigos. Allí nadie se preocupa de nadie. Nunca discuten. Jamás se siente una tensión. Y esto, simplemente porque son así: camaradas de buen carácter, o porque, sin declararse, llegaron a un tácito convenio de no preocuparse, nadie de nadie, de no meterse en el campo ajeno y de caminar, cada cual, en su propia dirección.

Aquí hay una magnífica camaradería. Pero, supuestamente, no hay vida fraterna.

* * *

La observación de la vida me ha llevado a la convicción de que, es aquí, en el terreno de la afinidad, donde se juegan los principales capítulos de la vida fraterna, particularmente en el mundo femenino, más proclive a las reacciones subjetivas.

Uno de los secretos fundamentales para la buena marcha de la unión fraterna consiste en imponer las convicciones de fe sobre las emociones.

El motor dinámico de una comunidad será pues, el amor oblativo, más que el emotivo.

* * *

Es cierto que a algunos les ha tocado en suerte una naturaleza notablemente armoniosa. Han nacido así, y, sin el menor esfuerzo, sintonizan con las personas de cualquier temperamento.

Pero, para la inmensa mayoría de nosotros, amar evangélicamente nos significará vivir vigilantes sobre nuestras reacciones naturales, superando las emociones con las convicciones.

2. ACEPTAR, AMAR SU PROPIA PERSONA

> Oh Dios, dame la serenidad
> para aceptar las cosas
> que no puedo cambiar;
>
> la valentía para cambiar
> las cosas que puedo;
>
> y la sabiduría para discernir
> la diferencia entre ambas.

Gran parte de las personas que tienen dificultad para aceptar a los demás, es porque no consiguen aceptarse a sí mismas. Dicho de otra manera, el que se rechaza a sí mismo, rechazará a los demás. Los conflictos compulsivos se manifiestan en el nivel interpersonal cuando ya estaban incubados hace tiempo en la esfera intra-personal.

Podemos pecar por *falta de amor* a nuestra persona. Más aún, la falta de amor a sí mismo es tan grave como la falta de amor al hermano. El que se avergüenza de su fisonomía, es como si despreciara al prójimo. Aquel que se siente triste por no tener cualidades o porque no puede triunfar, es como aquel que se deja llevar por la aversión contra el hermano.

Nietzsche, en su libro *Así hablaba Zaratustra*, dice:

> No os podéis soportar;
> no os amáis suficientemente
> a vosotros mismos.

Diferentes formas de egoísmo

Aquí nos hallamos metidos entre conceptos y vocablos, impregnados de ambigüedad, y no nos va a ser fácil salir airosos. ¿Es lo mismo amor a sí mismo que egoísmo? ¿Contienen idéntico significado estas dos expresiones: amarse a sí mismo y amar su persona? ¿Existe contradicción real entre el amor por uno mismo y el amor por los otros?

¿Es veraz y objetiva esta proporcionalidad: cuanto más amo mi persona, menos amo al hermano, y cuanto más amo al hermano, menos amo mi persona? O, al contrario, ¿podremos decir que cuanto más amo mi persona, más amaré al hermano?

En la Biblia se dice: "Ama a tu prójimo como a ti mismo". Tratándose del amor, las mismas obligaciones existen para el prójimo que para mí: respetarme, aceptarme, acogerme... Si es virtud amar al prójimo como un ser humano, yo también soy un ser humano, y amar esta persona que soy yo, es, también, virtud.

Al final, ¿qué es el *egoísmo*? Erich Fromm nos hace una magistral descripción de él. Lo hace en un contexto especial: en el sentido de que el amor a sí mismo y el egoísmo no son idénticos sino opuestos:

> La persona egoísta está únicamente interesada en sí misma, desea todo para ella, no siente placer en dar, sino en tomar.
>
> El mundo exterior es contemplado únicamente desde el punto de vista de lo que pueda extraer de él. Carece de interés por las necesidades de otros, y de respeto por la dignidad e integridad.
>
> No puede ver más allá de sí mismo, juzga a toda persona y cosa desde el punto de vista de utilidad para ella. Es básicamente incapaz de amar.
>
> La persona egoísta no se ama demasiado a sí misma, sino muy poco, en realidad se odia.
>
> Esta falta de afecto y de cuidado para con ella misma, que es solamente expresión de su falta de productividad, la sume en un estado de vacuidad y de frustración.
>
> Es necesariamente infeliz, y está ansiosamente interesada en arrebatar a la vida aquellas satisfacciones, cuya obtención ella misma obstaculiza.

Parece preocuparse por sí misma; pero en realidad hace solamente un vano intento por ocultar y compensar su falta de cuidado para consigo misma.

Es cierto que las personas egoístas son incapaces de amar a otros; pero tampoco, son capaces de amarse a sí mismas[12].

* * *

Existen otras maneras, más disimuladas, de egoísmo. A veces, algunos, proyectan su ego y lo fijan, por ejemplo, en eso que llaman patria. Se identifican tan simbióticamente con ella que la gloria de cualquier patriota, sea un tenista o un boxeador, la consideran "su" gloria. Su entusiasmo (amor) por las glorias nacionales, no es sino un amor simbiótico a sí mismos, transferido.

Otras veces puede, una persona, vincularse "incestuosamente", como dicen, con una institución, raza, apellido, país, partido político, club deportivo. Cualquiera grandeza de estas agrupaciones la consideran "su" grandeza. Parece que aman a esas instituciones de forma fanática; se aman a sí mismos, acoplando su imagen a esas agrupaciones.

Sería ridículo que alguien dijera: "Yo soy formidable". Pero se puede decir eso mismo, de forma camuflada, haciendo una referencia altamente elogiosa de su raza, equipo deportivo o campeón nacional con los cuales se siente fanáticamente identificado.

Para muchos, la única manera de sentirse "realizados" es fijando su personalidad (apocada) en cualquiera agrupación hasta transformarla en ídolo y entregándole una adhesión fervorosa. ¿Quién ama? ¿A quién ama?

Gustar, ¿es amor?

Si una persona es encantadora, no hace falta que nadie le diga: amen a esa persona. Todo el mundo la amará *instintivamente.* Sus cualidades son como un imán que cautiva y arrastra las fuerzas adhesivas de las personas que la

12. Erich Fromm, *Ética Y Psicoanálisis*, México, 1966, p. 164.

rodean. Amar al amable, ¿qué novedad tiene? Lo raro sería no amarlo.

En el amar de los amigos, ¿en qué grado existe el amor verdadero? En el amor que llaman sexual o erótico, ¿en qué dosis están el amor propiamente tal, o la búsqueda de sí mismo bajo el signo del interés o el placer? El amor oblativo es precisamente aquel que pone en movimiento energías "amadoras" allá donde no existen polos de atracción.

Tengo la impresión de que mucha gente confunde "gustar" con "amar". Creen que todo lo que gustan, aman.

* * *

Traslademos lo dicho a nuestra persona.

Si usted tiene una espléndida figura física, seguramente la amará. Pero, ¿será amor? Probablemente existe una simbiosis entre *usted* y su figura. En el fondo, puede decir: *yo soy* mi figura.

Si tiene una memoria brillante o una simpatía irradiante, seguramente las va a amar. ¿Amar qué? ¿Su cualidad o su persona? Normalmente no existe amor ni odio, rechazo ni acogida de mi persona, sino de las *partes* de mi persona.

Usted no va a tener problemas en aceptar y amar lo que hay de *agradable* en su persona. Sus problemas comenzarán cuando usted se encuentre con aquellos aspectos de su persona que no le gustan. Ahí comienzan los rechazos.

* * *

Estoy de acuerdo con la afirmación psicoanalítica, en el sentido de que, toda actitud y conducta necesitan, como impulso, un motivo de placer. Si yo soy contrahecho o melancólico, por nacimiento, ¿por cuál motivo voy a perdonarme y aceptarme? Humanamente será difícil evitar la tristeza agresiva contra mí mismo, a modo de reacción.

¿Cuál podría ser, en este caso, el *motivo* o "estímulo de placer" por el que tomo la actitud interior de *asumir* con paz una realidad tan desagradable, que forma parte de mi persona? Caben dos reacciones: una actitud *fatalista o estoica*, como la de aquel que dice: ésta es la realidad dura y fría; no hay más salida que eliminarme de la vida o soportarlo todo fríamente. ¿Qué se consigue con llorar?

La otra actitud es una *visión de fe:* para Dios, nada es imposible. Todo depende de su voluntad; Él lo quiere o lo permite. En sus manos me entrego con paz, y entrego todo lo que no puedo cambiar.

Las cosas de mi ser que no me gustan

Lo que vamos a decir aquí es una ampliación, desde otros ángulos, de lo dicho en el capítulo anterior.

Si usted encuentra en su constitución personal tendencias o componentes que no le agradan, no se irrite. Eso sería como castigarse a sí mismo. No sienta vergüenza de las ramas poco esbeltas de su personalidad. Ya sabe que avergonzarse es resistir, y resistir es declararse enemigo de sí mismo.

Todo acomplejado es una triste sombra, en guerra consigo mismo. En esta guerra, usted es víctima y verdugo, al mismo tiempo. Si sus complejos se refieren a aspectos personales que no los puede cambiar, su resistencia, además de nociva, es absurda. ¡Basta de guerras!, haya reconciliación y amanezca el día del perdón y la paz. Viva como una flor feliz en el jardín del Padre.

Y si no está en guerra consigo mismo, probablemente lo estará con *partes* de su persona. Las repulsas comienzan por la periferia. Hay quienes sienten, ridículamente, aversión por partes determinadas de su anatomía. Sienten vergüenza por su nariz, boca o cabello. Desearían tener menos kilos, más centímetros. No están satisfechos de su color, sueñan con otras proporciones anatómicas. Total, enemigos de su cuerpo. Ame ese cuerpo tal como es. Asuma esa morfología y deposítela íntegra en las manos del Padre, diciendo: acepto este cuerpo porque acepto tu voluntad, Padre mío; acepto tu voluntad porque amo este cuerpo, como expresión y regalo de tu amor.

No se deje dominar por la tristeza, en las *enfermedades* que muchas veces cubren de incertidumbre el horizonte de la vida, porque parece que ellas están esperando su turno ya que, desaparece una y aparece otra, en un circuito inacabable.

Acepte con paz el misterio doloroso de la vida, que es la parábola biológica, la cual consiste en que todo nace, crece y muere, en un movimiento elíptico, perpetuamente repetido. Declinarán sus fuerzas, llegará el ocaso de la ancianidad, se sentirá inútil para todo, todas las coordenadas de la decadencia lo envolverán, hasta que, al fin, se consumirá por completo la esfera de su existencia. Acepte con paz esa parábola vital y fatal. Ame la vida, como las plantas aman el sol.

* * *

Si sus fronteras intelectuales fuesen otras, su vida, en este momento, sería diferente, comenzando por su "status" profesional. No sé por qué, el hombre siempre desea triunfar, sentirse importante, colocarse al frente de los demás y liderar. Usted, entretanto, pasó por el mundo como una sombra insignificante, desde la escuela hasta ahora.

¿Quién tiene la culpa de eso? ¿La culpa?, nadie. Pero usted sabe que eso es debido a sus pobres alturas intelectuales. Tenga cuidado; porque, secretamente, puede germinar bajo sus pies la roja planta del rencor. ¿Contra quién? Contra usted mismo. Si no tiene una notable capacidad intelectual, puede tener gran capacidad *cordial;* y si no puede iluminar el mundo, puede alentar muchos corazones, y hacer felices a tantos… A pesar de todo, usted es un prodigio de los dedos del Padre.

* * *

Hubiera querido, dice usted, tener un carácter encantador, saber reaccionar suavemente, saber mantenerse equilibrado y constante, vivir alegre, sentirse optimista, experimentar la existencia como un espléndido regalo…

Entretanto usted dice que se siente como aquel que arrastra una cadena; vienen sobre usted las melancolías y no las puede despejar; se apoderan las depresiones maníacas y su alma se parece a un pequeño infierno; a veces nada le alegra y no sabe por qué, todo le entristece y no sabe por qué... Nació así y morirá así.

No se entristezca por eso. Tome en sus manos, manos de cariño, su estructura personal y deposítela, como ofrenda oblativa de amor, en los brazos del Padre diciendo: acepto y amo ésta mi persona, porque ella es expresión de tu voluntad, y yo amo tu voluntad, porque Tú eres mi Padre.

Asumir la propia historia

Nosotros nos parecemos, a veces, a aquel hombre loco que se paró ante un muro, y se daba de golpes, con su cabeza contra la pared. ¿Quién sufre, la cabeza o la pared? Vamos a suponer que, en su vida, hubo un acontecimiento doloroso, hace años. Si ahora usted pasa el día y la noche, recordando con amargura aquel suceso, su conducta se parece a la del hombre de los golpes contra la pared.

El tiempo es irreversible. Lo sucedido en el tiempo, queda atrás irremediablemente. Jamás volveremos, ni cinco minutos, hacia atrás. Todo lo que sucedió desde este minuto para atrás, jamás nadie lo podrá remover. Todos los sucesos de mi vida, por muy dolorosos que sean, y por mucho que yo los resista recordándolos con ira obstinada, esos hechos no se alterarán ni un milímetro. Entonces, ¿dónde está la locura? ¿Quién sufre? ¿Quién está golpeando con su cabeza contra los muros inquebrantables? Recordar con rencor los sucesos ingratos de la vida es como tomar con la mano unas brasas ardientes. Es uno mismo el que se quema. No se castigue. Acepte con paz los hechos consumados. ¿Qué diríamos del hombre que se va a una playa, arrima el hombro a un enorme acantilado, y comienza a empujarlo, pretendiendo removerlo? Acepte con paz la voluntad del Padre que permitió aquellos hechos.

* * *

Sí; era el Padre quien andaba metido en medio de todo aquello. Si Él no lo hubiera querido, nunca hubiese acontecido aquello, porque para Él nada es imposible.

Nosotros protestamos contra el Padre porque somos ignorantes; y somos ignorantes porque somos superficiales; y somos superficiales porque analizamos los sucesos montados sobre la superficie de la historia.

¿Qué sabemos nosotros de lo que se esconde detrás de la muralla del tiempo? ¿Qué sabemos de lo que sucederá dentro de cinco minutos? Nosotros no tenemos *perspectiva* para analizar y juzgar. Nosotros analizamos todo, pegada la nariz al cristal del instante. Por eso somos superficiales.

¿Qué sabemos nosotros de los *designios mesiánicos,* que el Padre puede cargar sobre nuestros hombros? ¿Qué sabemos nosotros del misterio de las *almas víctimas,* misterio por el que los unos sufren en vez de los otros, y los unos mueren en lugar de los otros? ¿No hubo Alguien que sufrió y murió en lugar de los demás? ¿Qué derecho tenemos nosotros para cuestionar al Padre, y protestar contra ciertos sucesos de la vida?

Si nosotros hubiésemos estado, en la noche de Getsemaní, en la piel de Jesús, hubiésemos hecho un análisis superficial sobre los acontecimientos sangrientos que le esperaban, es decir un análisis psico-socio-político. Padre, ¿cómo se le ocurre poner como Pontífice, en este tiempo mesiánico, a un resentido como ese Caifás? ¿No sabía que los resentidos necesitan destruir? Y ese Gobernador, tímido y cobarde, y ese frívolo rey... ¿Cómo, Padre mío, consintió esa confabulación religioso-político-militar...? ¿Así habló Jesús? El Maestro miró los sucesos, no por la superficie, sino en su profundidad, y allí vio que era la voluntad del Padre quien decidía todo.

* * *

Llegó la hora de cerrar la boca, quedar en silencio, bajar a los archivos, y asumir con paz todo cuanto el Padre permitió: heridas, memorias ingratas, recuerdos dolientes.

Llegó la hora de la reconciliación universal: con su propia historia, con los personajes que pasan por sus páginas, con el cielo y la tierra.

Mire al pasado con mirada complaciente. Contémplelo todo sin hostilidad. Aquello que sucedió en la primavera de su infancia, en los años procelosos de su juventud, los primeros desengaños que le dolieron tanto aquel fracaso, aquella decisión injusta y arbitraria que tomaron sobre su vida, aquella crisis, aquel hecho que nunca quisiera recordar, aquellas personas que influyeron negativamente, aquella equivocación... ¡Todo está consumado!

Acéptelo todo, agradecido. Asuma su historia, con las manos emocionadas, para depositarla en los brazos queridos del Padre, como una ofrenda oblativa de amor.

Paz en su alma. Todo fue tan bonito... Valió la pena.

CAPÍTULO V

RELACIONES INTERPERSONALES

¿Quién sabe
del revés de cada cosa?
¡Cuántas veces está la aurora
detrás de la montaña!

J. R. Jiménez

El amor es paciente,
es benigno.
No es envidioso,
no es jactancioso,
no se hincha.

No piensa mal,
no se irrita,
no es descortés,
no es interesado.

No se alegra de la injusticia,
se complace en la verdad.

Todo lo excusa, todo lo cree,
todo lo espera, todo lo tolera.

El Amor nunca se acabará (1Cor 13, 4-8).

Entramos en el capítulo decisivo para la tarea de construir la fraternidad.

La redención de los impulsos, la liberación de las energías y el amor oblativo deben concretizarse en las relaciones interpersonales. Ellas son los ligamentos que tejen la túnica inconsútil de la fraternidad.

Como observará el lector, hacemos aquí un trabajo de explicitación, dividiendo los campos y diferenciando las diversas perspectivas de las relaciones interpersonales, encajonando todas ellas en ocho distintos apartados. Lo hacemos así para facilitar la comprensión de la materia.

Sabemos, sin embargo, que, en la práctica, no sucede así. En la vida, los diferentes campos, en lugar de estar aislados, se invaden con frecuencia, se influyen, se entrecruzan y se condicionan mutuamente.

Por ejemplo, *comprender y aceptar* tienen terrenos comunes, pero también zonas peculiares. *Adaptar* invade todos los terrenos. *Acoger* tiene un ámbito exclusivamente propio. *Respetar y comprender* se pisan los talones.

Perdonar y asumir son complementarios. También lo son *aceptar y acoger*. *Respetar sin asumir* puede ser cobardía o irresponsabilidad. Todas las relaciones se completan en el *asumir...*

A) Amar es RESPETAR

Los hermanos deben reverenciarse y honrarse sin murmuración.

San Francisco de Asís

La actitud primera y elemental, en las relaciones interpersonales de una comunidad, es el respeto.

Respetar se parece mucho, y tiene fronteras comunes, con *aceptar*. A pesar del peligro de reiteración, vamos a estudiar, por separado, ambas actitudes.

Como quien venera lo sagrado

El respeto fraterno tiene raíces muy profundas, explicadas, en diferentes páginas de este libro. Se trata del misterio original del hombre –la realidad más sagrada del mundo, después de Dios–, misterio por el que todo individuo no es *objeto* sino *persona*. Y toda persona es un yo diferenciado, inefable e incomunicable; un universo y una experiencia que jamás se repetirán.

Los demás no son "el otro" sino un "tú", con un formidable equipo de códigos genéticos, estructura endocrina, composición bioquímica, alteraciones históricas... Todo ese conjunto de constitución y experiencia está presidido por una conciencia. Estamos ante una persona.

El otro es, pues, un mundo sagrado, y como sagrado, no sólo merece respeto sino también reverencia.

De lo dicho, se deduce que la falta de respeto es falta de sabiduría. Un sabio es aquel que tiene la visión objetiva de la realidad. Lo primero que *sabe* un sabio es que no "sabemos" nada del *otro*, porque el *tú* (así como yo también) es un universo esencialmente inédito, inefable e incomunicable. La actitud elemental ante lo desconocido es, por lo menos, la del silencio.

¿Qué es, pues, respetar? El respeto implica dos actitudes, una interior y otra exterior. Presupone en primer lugar, venerar el misterio del hermano como quien venera algo sagrado. En segundo lugar implica *no meterse* con el otro. En su forma negativa se expresa así: no pensar mal, no hablar mal. Y en su forma positiva significa: reverencia interior, y trato de cortesía.

Meterse con el otro

La falta de respeto se llama vulgarmente murmuración, y científicamente, *violencia compensadora*.

Todo el que murmura realiza los siguientes actos: entra en el mundo del otro, en su recinto más sagrado, que es el de la intencionalidad; allá levanta un tribunal; juzga; condena; y publica la sentencia condenatoria.

El vulgo utiliza una excelente expresión para significar la falta de respeto: *meterse*. No te metas conmigo. De eso se trata: de meterse o no en el mundo del otro, de no invadir y pisar el terreno sagrado y privativo del otro.

* * *

La murmuración envenena rápidamente las mejores intenciones de cualquiera comunidad. Es como una enfermedad epidémica. Las palabras sacan palabras. La violencia engendra violencia. Si hablaron mal contra usted, su reacción instintiva será hablar mal contra ellos. Las palabras y dichos son como pelotas que botan y rebotan entre las cuatro "paredes" de la comunidad.

De esta manera, se acaba por crear un clima enrarecido, en el cual nadie se fía de nadie. Ninguno habla con sinceridad. Por todas partes se siente inseguridad y se respira suspicacia.

Como consecuencia de esta atmósfera, cada miembro de la comunidad se refugia en su interior, como en una isla solitaria. Esa comunidad –sea hogar o fraternidad– se transforma como en un recinto peligroso y frío. Viene la necesidad de evasión, y se tiende a buscar refugio emocional y "espacio vital", lejos de la casa fraterna. Y así, la falta de respeto desencadena un proceso generalizado de todos los males comunitarios y personales.

En general, la crítica y la murmuración, son violencia compensadora, típica reacción de los "pequeños" y de los irrealizados. Las personas plenamente realizadas no necesitan meterse con nadie. Pero los inválidos espiritualmente y los estériles "necesitan" destruir, en los demás, aquello mismo que, ellos, no fueron capaces de construir en sí mismos o por sí mismos.

Reverenciar

El respeto viene desde dentro. Hay que comenzar por redimir las raíces. En una comunidad cristiana, las emociones hostiles, originadas por diversas causalidades, sólo pueden apagarse en la proximidad emocional con Jesucristo. Las palabras destructivas son hijas de los sentimientos destructivos. Son éstos los que necesitan ser silenciados, como homenaje oblativo a Jesús. Las soluciones profundas de los males comunitarios nacen a los pies de Jesucristo.

¿Cómo se puede tener reverencia hacia una persona cuando ella aparece, dentro de un análisis de valoración, como un "pequeño"? Respetar es también amor oblativo, la mayoría de las veces. Una vez más repetimos: respetaremos el misterio del hermano sólo si nos colocamos en la esfera de la fe, y hacemos una transferencia "viendo" al HERMANO Jesús en este hermano que está junto a mí. Así nace la veneración.

Pero no sólo eso. Desde los días de formación de los jóvenes, la comunidad puede y debe despertar en sus miembros una actitud de respeto y reverencia –aun prescindiendo de la mirada de fe– frente al misterio de cada persona.

Callar es amar

El modo ideal de respetar es el *silencio*.

Silencio interior, en primer lugar. Como dice Pablo, es en el corazón donde nacen las rencillas y riñas. La murmuración, antes de ser esa fea fonética, comienza por ser un *nocturno* desabrido en el interior. Es en el corazón donde cada uno tiene que atajar y silenciar la murmuración, y ofrecerle a Jesús como un sacrificio oblativo.

No pensar mal. No *sentir* mal. Respetar al otro "callando" en la intimidad

Silencio exterior, en segundo lugar. Muchas veces no se puede justificar ciertas reacciones de una personalidad, o ciertas actitudes irregulares de algunos sujetos, porque son defectos evidentes. Pero siempre podremos respetar las espaldas del hermano ausente, simplemente callando. Es, el silencio, una actitud tan noble y elegante…

Al enterarme del "pecado" de mi hermano, mi mejor homenaje hacia él y mi manera primera y concreta de amarlo, consistirá en echar siete llaves al tal "secreto", y el día de la muerte bajar a la tumba con el secreto archivado, sin que, de mi boca, hubiese salido ninguna información directa ni indirecta.

Siempre pienso que, al presentarnos a las puertas de la eternidad, el mejor billete de entrada será un ramillete de secretos, silenciosamente guardados. Allá solamente entran los que amaron; y los que callaron, amaron.

Ciertamente no basta callar. Eventualmente, hay que informar, alguna vez. Sobre todo, hay que "elevar" al prójimo "pecador". También en esto consiste el amor. Pero el primer deber es encubrir con el manto del silencio las espaldas del hermano "pecador". En esto está la misericordia y la sabiduría.

Muchas veces no se consigue nada con polemizar, defendiendo con palabras ardientes el prestigio menoscabado del prójimo, porque los demás arrecian en su ataque. En cambio, simplemente al callarse, uno ya está defendiendo al otro, con altura y dignidad.

* * *

Francisco de Asís imaginaba a los hermanos como caballeros andantes del Rey Eterno, y los apremiaba a que, en su trato mutuo, usaran de maneras de alta cortesía.

En nombre de la confianza, se puede quebrantar la cortesía. Y no es raro encontrarse, en algunas casas, con personas que, en nombre de la confianza, se tratan mutuamente con expresiones y modales vulgares.

He aquí un desafío para la fraternidad: de qué manera combinar la confianza con la cortesía.

El culto del silencio

En toda comunidad cristiana debería fomentarse el *culto del silencio,* no en el sentido de un silencio trapense sino en el sentido de saber conservar en silencio las confidencias y noticias fraternas.

Uno de los síntomas más seguros de madurez humana es la capacidad de guardar en silencio las confidencias que se reciben, o las pequeñas irregularidades humanas que se observan.

Una persona poco madura recibe una confidencia u observa algo errado, y en lugar de ser señora de sí misma y retener la noticia, se quiebra al peso psicológico de la información, le traicionan los nervios, se le sueltan las noticias, cuenta, se derrama...

Esta es la razón por la que los súbditos, frecuentemente, no tienen confianza en sus autoridades. Ya tuvieron varios desengaños, y acaban diciendo, respecto al coordinador: tiene buena voluntad pero *se le escapa la lengua*. No se puede confiar.

En las comunidades humanas viven, a veces, personas a punto de explotar. Sus problemas no los comunican a nadie, ya que casi todos –dicen ellas– cuentan todo directa o indirectamente, tarde o temprano. Uno ha conocido personas, casi en la frontera de la psicosis, de tanto aguantar sus propios problemas en completa incomunicación. Hubiese bastado tener a su lado una persona con capacidad de silencio, exponerle su situación, y aquélla se hubiese sentido liberada de su angustia.

Cultive el silencio con la misma devoción con que un creyente cultiva la amistad de Dios. Llegó a sus oídos una noticia explosiva. ¡Qué ganas de contarlo! Guárdela en el cofre del silencio. Lo que acaba de suceder a este individuo es algo, entre divertido y ridículo. Si contara a los compañeros, tendríamos media hora divertida de comentarios. Guarde silencio. ¿Fulano hizo eso? Es conveniente que la autoridad lo sepa. Comience por cubrir al "pecador" con el manto del silencio. Más tarde veremos...

Feliz la comunidad que tenga una persona tan entera y tan madura que, cualquiera que sea la confidencia que se deposite en su corazón, la guarda como en un cofre sellado, hasta la tumba y más allá... Esa casa está salvada de la angustia y de la psicosis.

* * *

La esencia misma de la fraternidad es ser *transparencia*. Vivir en fraternidad significa ir derribando lentamente las murallas que separan a los hermanos, para hacerse, todos, mutuamente *patentes y presentes*. Para esta finalidad, hay que crear un clima de confianza, y para crear ese clima, hay que comenzar por cultivar un gran respeto mutuo.

B) Amar es ADAPTARSE

Adaptarse es relacionarse con los demás, sin dominar y sin dejarse dominar. Es un proceso complejo, apto para describir más que para definir.

El avance en el amor presupone, primero, no estar atado a sí mismo. Luego salir de su círculo y abrirse al mundo del prójimo. En una palabra, es un proceso de integración y ajuste en el medio humano en el que se vive.

* * *

Nuestra desgracia es ésta: el ser humano tiende a adaptar todas las cosas a él, mediante la *racionalización*, en lugar de adaptarse, él, a todo. Si no hacemos una severa autocrítica, o si no permitimos que nos critiquen constructivamente, es casi seguro que llegaremos al abismo de la muerte, cargando todos los defectos congénitos de nuestra personalidad, habiendo, ellos, aumentado y crecido en el camino de nuestros días.

Si las circunstancias ambientales no nos presionan, nosotros no cambiamos con el noviciado ni con los retiros o cursos. Hasta a Dios mismo lo adaptamos a nuestra medida y deseos mediante sutiles racionalizaciones.

He aquí nuestra desdicha: disponemos de un excelente equipo de mecanismos de defensa para recrearlo todo a nuestra medida.

Pienso que hay dos instituciones que son verdaderas escuelas de transformación: el matrimonio y la fraternidad. Y lo son porque, por su propia estructura humana ambas instituciones obligan a sus miembros a entrar en la interrelación de profundidad. Y al relacionarse, los miembros llegan al enfrentamiento y confrontación de sus diferentes rasgos de personalidad, y los obliga a superar sus diferencias, sin invadir y sin dejarse avasallar.

* * *

En toda personalidad hay diferentes campos de fuerza, y niveles de reacción. La personalidad de un sujeto puede tener un ochenta por ciento de "normalidad" permítaseme hablar así, y un veinte por ciento de inmadurez o compulsividad.

En su conjunto, es un individuo tratable, y hasta agradable. Pero de repente sale con "una de las suyas". En este momento, al entrar en relación con los demás, tenemos conflicto seguro. Sin embargo, cuando ya pasó esa "salida", el sujeto vuelve a la normalidad, y torna a ser una excelente persona. El relacionamiento con los hermanos descubrió, en su personalidad, ciertas reacciones típicas que son verdaderas aristas para los demás. Es necesario limarlas.

Adaptarse significa dejarnos cuestionar por los hermanos, y cuando nuestros ángulos de personalidad queden descubiertos a la luz de la revisión, de la corrección fraterna, o simplemente de la convivencia diaria, debemos comenzar un lento proceso para suavizar ángulos y controlar compulsiones.

Otros sujetos presentan, por suposición, un cincuenta por ciento de normalidad. Es difícil encontrar personas que sean "normales" en todos los campos de actuación, otra vez llegamos al misterio del hombre. Toda persona tiene rasgos individuales, en diferentes grados, en diversas combinaciones y proporciones. Esta variedad de rasgos, como ramas del árbol de su personalidad, puede tener diferentes manifestaciones: dominación, perseverancia, sociabilidad, tacañería, escrupulosidad, irritabilidad, pulcritud, agresividad...

En la actuación ordinaria, no siempre aparecen los rasgos. A veces son más visibles; otras, menos. No se sabe por qué, en tal circunstancia, aparece tal rasgo, en tal otra circunstancia, tal otro rasgo. Ciertas características están obstinadamente presentes en nuestra personalidad, pero en cuanto al grado de manifestación dependen de los estímulos y otras circunstancias.

Estamos en la hora de la adaptación. Ciertamente, la adaptación es el problema más álgido entre las relaciones interpersonales. Adaptarse significa evitar colisiones. Si nuestras ramas chocan, con peligro de incendio, ¿cuántos centímetros de ellas deberá cortar usted, y cuántos yo, para que haya conjunción y no colisión? ¿Soy yo, exclusivamente, el culpable de las colisiones? Si estamos a cincuenta metros de distancia, ¿cuántos metros tengo que caminar yo, y cuántos usted, para que haya encuentro?

* * *

Se trata, repetimos, de suavizar aquellos rasgos de personalidad que resultan molestos por angulosos, al entrar en relación con el otro. Rasgo de personalidad es aquella manera peculiar de reaccionar frente a los estímulos exteriores.

Es uno mismo quien tiene que darse cuenta de cuáles son los rasgos propios que lastiman. Así como el dolor señala la enfermedad, así, cuando el hermano queda molesto o irritado con una reacción determinada mía, es señal de que tal rasgo está "enfermo".

Sin embargo, si una típica reacción mía, por suposición, molesta a este sujeto y no a los otros, ¿quién está "enfermo"?, ¿quién tiene que adaptarse? No raras veces, una misma persona es encantadora para dos sujetos de la comunidad, e insoportable para otros dos. ¿Dónde está la falla? ¿Quién tiene que adaptarse?

Otro problema. ¿Hasta dónde uno tiene que adaptarse? ¿Hasta qué punto, uno tiene que ser *uno mismo*? Una actitud "personalista", ¿hasta dónde es afirmación de la individualidad y hasta dónde, testarudez? ¿Hasta qué punto estamos racionalizando, al decir ¡hay que ser auténtico! y, en nombre de la autenticidad, estamos atropellando a medio mundo?

Es la comunidad, son los hermanos de la comunidad, los que van a señalar, más con sus reacciones que con sus palabras, hasta qué límite tengo que limar las aristas hirientes y dolientes de mi personalidad.

Evasión en la grande comunidad

Contra la adaptación está la evasión.

En la comunidad grande puede darse, y se da con frecuencia, la siguiente situación. Viven allí veinte personas, supongamos. Entre ellas, tres conviven admirablemente unidas. Son grandes amigas. Las tres pidieron, y se les autorizó, salir de allí para formar una pequeña comunidad. Estas tres amigas que, en la comunidad grande, nunca habían tenido conflictos, ahora, antes de tres semanas los tuvieron en la pequeña comunidad.

¿Qué había sucedido?

En la situación anterior no habían tenido conflictos porque no se habían interrelacionado en profundidad, y no habían aparecido los lados angulosos de sus personalidades; igual que en el caso de algunos novios: antes de casarse, miel; después de casarse, hiel. Al aparecer los lados desconocidos y conflictivos, llega la hora verdadera del amor.

Efectivamente, la comunidad grande no da, generalmente, oportunidad para establecer *verdaderamente* relaciones interpersonales. Allí las relaciones son superficiales. ¿Por qué?

Allí se da lo que yo llamo el *juego de pelota.* Se busca, para relacionarme, a aquel otro sujeto que se ajusta a mi modo de ser. Más que hermanos, amigos. Si un día surge un conflicto, uno puede ir saltando como una pelota, de sujeto en sujeto, hasta encontrar otro individuo que se ajuste a mi carácter. Y sigue el juego.

No digo que siempre suceda así. Pero, contra las apariencias, en las comunidades grandes puede no existir relacionamiento en profundidad. Por eso se puede vivir allí sin adaptarse, sin transformarse, sin amar.

Evasión en la pequeña comunidad

De por sí, las pequeñas comunidades ofrecen mejores oportunidades para relacionarse. Aquí, sin embargo, cabe, y se da con frecuencia, otra clase de evasión. A veces, simplemente el hecho de una actividad pastoral desmedida puede dispersar de tal manera al "pequeño rebaño" que, los hermanos, poco se ven, casi nunca se tratan y no existe relación interpersonal, propiamente tal. Y no hay tensiones, claro está.

Pueden darse, también, evasiones más sutiles. Imaginemos una situación. Son cuatro personas. Cada una se creó su propio "mundo individual". No hay, entre sí, un compromiso social, aunque sí tácito, como si hubieran hecho el siguiente convenio: no te metas en mi mundo y no me meteré en el tuyo. Te respetaré cuanto me respetes. No te preocupes cuándo salgo, cuándo regreso, con quién ando, quién me llama por teléfono. Tal como sea tu actitud para conmigo, será mi actitud para contigo.

Tienen casa para comer, para dormir, y para ver algunos programas de televisión. Si falla la economía doméstica, disponen del respaldo de la economía provincial. Cada uno se las arregló para vivir, como si las otras personas no existieran, como en un hotel. En esa casa hay paz, pero una paz emanada del "espléndido aislamiento" en que vive cada cual. No sucede siempre así, claro está. Pero hay peligro de que suceda frecuentemente.

Estamos viendo que no existe adaptación sin dolor, sin una cierta tensión. La no existencia de tensiones no necesariamente significa presencia de amor. Y la presencia de tensiones puede significar un magnífico esfuerzo por "dar la vida". Toda adaptación es morir un poco.

Los inadaptados

La neurosis es la incapacidad de adaptarse. Y como amar es adaptarse y adaptarse es amar, neurosis significa fundamentalmente incapacidad de amar. Dicho de otra manera: neurótico es aquel ser, incapaz de equilibrarse armoniosamente en la sociedad en que vive. Como consecuencia, vive siempre conflictuado. Es conflictuante. Es eminentemente racionalizador: echa la culpa a todo el mundo porque él es incapaz de darse cuenta de su propia "culpabilidad". ¿Cómo se origina esta enfermedad?

Es una persona que vive exclusivamente en sí y para sí. Al relacionarse con el mundo exterior, comienza por un juicio de valoración, desenfocado y falso. ¿Qué hace? En lugar de captar el mundo exterior, *en sí mismo*, comienza por proyectar su propio mundo interior sobre el exterior, identificándolos. De manera que, en lugar de contemplar al mundo que lo rodea, en sus dimensiones objetivas, lo percibe a través del prisma de su propio mundo subjetivo, porque para él, sólo éste existe. Tiene, por tanto, incapacidad de distinguir lo que hay dentro de él, y fuera de él. No puede desprenderse de su mundo.

* * *

El ser humano dispone de formidables equipos de adaptación, a nivel fisiológico y también a nivel psicológico. Cuando verdaderamente se relaciona con sus semejantes, y aunque esta relación sea momentáneamente conflictiva, el hombre aprende a reaccionar de un modo semiautomático, desarrollando hábitos de acción que pueden ser interpretados como reflejos condicionados. Esto, normalmente.

A veces, sin embargo, en los caminos por donde avanzan los mecanismos de adaptación, se instalan fuerzas paralizantes que bloquean el funcionamiento de aquellos mecanismos de adaptación.

Todos nosotros somos un poco neuróticos, o temporalmente neuróticos. Esto es fácil de entender. Adaptado significa maduro. Maduro significa colmado, realizado: que las potencias llegaron a su altura correspondiente. Es diferente acabado que realizado. El ser humano nunca está acabado, sino siempre abierto. Realizado significa que, dadas las potencialidades congénitas, una persona está consiguiendo resultados satisfactorios, al menos en términos subjetivos.

Ahora bien, en este crecimiento, siempre ondulante, cualquiera de nosotros puede provisoriamente presentar síntomas neuróticos, concretamente en los momentos de crisis que, por definición, son transitorias.

Pero una persona normal consigue, normalmente adecuarse a las exigencias de las circunstancias, y equilibrar su conducta al tiempo y lugar, usando los medios apropiados, según las normas de su conciencia y los puntos de vista de los demás.

Adaptado (maduro) es aquel que consigue ser *él mismo* en medio de individualidades muy diferenciadas, sin entrar, por eso, en choque al esforzarse los demás por ser *ellos mismos*. El hombre maduro es aquel que se ajusta en su medio ambiente, con sus cualidades y sus defectos.

El adaptado es una persona eminentemente objetiva, capaz de mirar los hechos y las personas, en sí mismas, desligándolas de mis proyecciones emocionales. Y en consecuencia procede armoniosamente, reconociendo sus límites y las potencialidades de los demás. Es capaz de renunciar a un valor, por ejemplo al matrimonio, y no por eso queda inválido o desequilibrado, antes al contrario, es capaz de canalizar aquellas fuerzas renunciadas hacia una productividad mayor.

En una palabra, adaptarse es un lento y progresivo crecimiento hacia una coherencia integradora entre el sentir, pensar, hablar y actuar.

* * *

El inadaptado (neurótico) es compulsivo: exigente, histérico, resentido y siempre descontento. El criticar todo, el quejarse contra todo, son síntomas de neurosis, así como también lo es, el airarse por pequeños contratiempos.

Aquellos que se quejan de que se les trata como niños, normalmente es señal de que son "niños". El sentirse atropellados en todo momento, el vivir permanentemente amargados son señales de neurosis.

El inadaptado tiene siempre una tonalidad infantil. El inmaduro quiere que todo y todos se adapten a sus exigencias egoístas. En vista de que no consigue eso, su reacción es compulsiva, igual que en el caso de los niños. Cuando el niño ve un objeto, quiere alcanzarlo con la mano y su mamá no se lo permite, la criatura reacciona agitadamente, llora, grita, patalea: todo tiene que adaptarse a sus exigencias.

Por eso, infantil, inmaduro, inadaptado, neurótico son palabras distintas que encierran un mismo fenómeno: la incapacidad de amar.

El niño es esencialmente inadaptado, porque es esencialmente narcisista. Es el único ser "normal" de la humanidad que se siente realizado, sólo al ser amado. Toda persona normal necesita, para sentirse realizada, ser amada y amar. Cuanto más ama, sin preocuparse de ser amada, mayor madurez. Cuanto más se preocupa de ser amada, sin amar, mayor infantilismo.

Por eso, hay por ahí "niños" de cuarenta o de cincuenta años, que hicieron de sus vidas una búsqueda insaciable de cariño: que todos me quieran, me aprecien, me alaben... Estas personas, habiendo crecido biológicamente, quedaron estancadas, en cuanto a su crecimiento psicológico, en las primeras etapas de la vida. El índice más alto de la madurez humana es la capacidad de amar sin ser amado de lo cual la máxima expresión es la *Oración Simple* de san Francisco.

Pascua fraterna

Morir es condición para vivir, dice el Evangelio: el que ama su vida la perderá (Jn 12, 25). Tanto para la sabiduría evangélica como para las ciencias humanas, el que se ama a sí mismo y sólo a sí mismo, permanece en la muerte, es decir, en el infantilismo, solitariedad, infecundidad e infelicidad. Fue lo que le sucedió a Narciso que, de tanto mirarse y admirarse a sí mismo en el reflejo del agua del jardín, se descuidó, cayó y se ahogó. Símbolo trágico: el que siempre se busca a sí mismo, está destinado al descontento y al vacío.

En cambio, el que odia su vida, la ganará (Jn 12, 25). Aquel que sea capaz de dar la vida, de renunciar a su círculo de valores e intereses, para adaptarse, ya entró en el reino de la madurez. Si queremos que un grano de trigo se convierta en un hermoso tallo, tendrá que cumplir previamente la condición de morir en el silencio del seno terrestre.

La resurrección no es secuencia sino consecuencia de la muerte de Jesús. La única fuente de donde puede emanar la resurrección, la muerte. Dada la muerte, *ipso facto* se da la resurrección (Flp 2, 5-12).

De esta cadena Juan educe el último eslabón, señalando el carácter pascual de la fraternidad: nosotros sabemos que hemos *pasado* de la muerte a la vida, porque amamos a nuestros hermanos (1Jn 3, 14). Somos libres, maduros y felices porque nos renunciamos para adaptarnos.

C) Amar es PERDONAR

Las raíces

El perdón es el don de los dones, como lo dice la palabra. Ciertamente es el don más difícil de regalar. A la raíz de todos los conflictos fraternos está el problema del perdón. La malevolencia, digamos con una palabra, es la muralla absoluta que bloquea la comunicación con el prójimo.

El sentimiento normal, como tendencia fundamental de la vida, es la benevolencia hacia el otro. No siempre, sin embargo, funciona en el hombre la tendencia de ser-para-otro, sino también la inclinación de ser-contra-otro. Pero esto último no es lo normal.

La agresividad cordial nace casi siempre entre los pliegues de la concurrencia y de la rivalidad, por las que uno quiere conseguir algo, y los otros se lo disputan. La resistencia del otro es, pues, el obstáculo para el cumplimiento de mis deseos egoístas, y mi emoción agresiva es el medio para anular aquella resistencia. Como se ve, el egoísmo es la "madre" de la malevolencia.

Cuando un individuo es *propiamente* un ególatra, tiende a considerar a cualquier otro como rival, y fácilmente lo hace blanco de su agresión. Basta analizar las rivalidades existentes entre un sujeto y otro, entre un grupo y otro, y siempre descubriremos en las hostilidades de hoy, antiguas batallas para salvaguardar el prestigio personal y asegurar los intereses propios.

Diferentes formas

El *rencor* es la tendencia a hacer daño, y a recrearse en ello.

Llamamos *odio* a la inclinación a exterminar al otro. Es una "protesta", hecha *con toda el alma*, del hecho de que el otro exista. El rasgo específico del odio es el deseo de que el otro no disfrute de la existencia. Es lo más opuesto al amor fraterno, y a ello se refiere san Juan en sus cartas. Uno siente repugnancia hasta de pronunciar la palabra odio. Pero la emoción del odio puede encubrirse, con más frecuencia de lo que se cree, entre los pliegues de otros sentimientos.

Cuando el deseo de poseer y la necesidad de estimación son lesionados, nace la necesidad de la *venganza,* así como nace la gratitud como un impulso reactivo a lo bueno que recibimos de los demás. Si el deseo de poder o estimación, repito, quedan lesionados en sus exigencias, se busca la compensación produciendo un daño igual, a aquel que ha obstruido la aspiración: ojo por ojo: me quitas un ojo, te quito un ojo. Existe, pues, en la venganza un ajuste de cuentas.

El *resentimiento* es diferente a la venganza, por los motivos y por la forma. Esta emoción agresiva nace del hecho de saber que el otro consigue lo que uno no ha podido obtener. El motivo del resentimiento es que yo no tengo lo que él tiene: él tiene más éxito, prosperidad y estima que yo. El impulso vital de donde nace este sentimiento es querer tener todo para mí, y el de ser más que los demás.

En la *envidia* existe todo el contenido del resentimiento y, además, encierra la inclinación a vengarse de los que han sido más afortunados que uno, a pesar de que los tales afortunados no me han causado ningún daño.

Se procura la satisfacción rebajando los valores de los demás; y en esta operación desvalorizadora se puede tomar un aire de objetividad, racionalizando con nuevos principios, otros códigos de valores, otros criterios para poder decir: al final, tú no eres más que yo. En la emoción de la envidia hay siempre escondida cierta dosis de frustración. No hay resentimiento sin envidia, aunque sí envidia sin resentimiento.

En los *celos* queda perturbado el deseo de tener todo para sí, al observar que el otro es objeto de grande estimación de parte de los demás, estima que uno la desearía exclusivamente para sí.

Antipatía es una tendencia emocional por la que el prójimo es como un polo en el que yo no encuentro resonancia. Esta emoción nace, a veces, del fondo vital. Otras veces, en cambio, es el resultado de una transferencia inconsciente por la que uno evoca un personaje olvidado con el que hubo conflictos en tiempos pasados.

Estas diferentes emociones agresivas están, en cada persona, en una mezcla combinada. En el problema del perdón, pueden hacer su aparición todas ellas –o alguna de ellas– en grados y especificaciones diferentes. Otras veces puede tratarse de un sentimiento general contra el prójimo.

Cómo perdonar

Perdonar es extinguir esos sentimientos, como quien apaga una llama.

En estas emociones de malevolencia existe una vinculación emocional entre el otro y yo. Estos sentimientos adversos son cargas de resistencia, lanzadas mentalmente contra el prójimo. Las cargas, al ser permanentes, forman una cadena que sujeta destructivamente a los dos individuos.

Perdonar es, pues, quebrar esos vínculos y desligarse.

Odiar –si se me permite la expresión– es locura: es como aquel que almacena un veneno que irá lentamente destruyéndolo por dentro.

¿Quién sufre? ¿El que odia o el que es odiado? Cuantas personas pasan días y noches, lanzando mentalmente agresivas cargas emocionales contra una determinada persona, y esta persona ni siquiera se entera. Mientras que usted se consume, sombrío y enconado, contra su prójimo, mientras tanto, el otro está "bailando" feliz en la vida, completamente desligado de usted. La inmensa mayoría de las veces no llegan al interesado los efectos de nuestras emociones destructivas, en tanto que estamos siendo lentamente presionados y aprisionados por nuestras propias sombras tenebrosas.

¿Masoquismo? ¿Autodestrucción? No. Insensatez.

Odiar es locura.

El resentimiento destruye al resentido.

Vale la pena perdonar. ¿Para qué sufrir inútilmente? Nunca tendrá paz, en cuanto no se decida a perdonar. El día que perdone sentirá, un alivio tan grande, que acabará diciendo: valió la pena.

* * *

Seguimos preguntando: ¿Cómo perdonar?

En primer lugar, el problema fundamental consiste en separar la atención, del recuerdo de aquella persona. Yo le diría imperativamente tres palabras: déjela, olvídela, deslíguese. Es un acto de control mental.

Cuando le llegue el recuerdo de tal individuo, no le dé importancia, piense en otra cosa, vuele con su mente en otras direcciones.

Este camino es indirecto, pero muy eficaz. Al mismo tiempo le ayudará a conseguir un progresivo dominio mental.

Existe aquel perdón que llamamos *intencional* o de voluntad. Uno quiere perdonar, quisiera arrancar del corazón toda hostilidad, le gustaría recordar a la persona, si no con simpatía, al menos con indiferencia. Este perdón es suficiente para aproximarse a los sacramentos.

El perdón *emocional* no depende de la voluntad. La hostilidad tiene hundidas sus raíces en el fondo vital instintivo. Nosotros no tenemos dominio directo sobre el mundo emocional. Al darse el estímulo, se da la emoción.

* * *

Así pues, la malevolencia es una carga emocional negativa. Ahora bien una carga emocional negativa solamente puede ser disuelta dentro de una carga emocional positiva, y con esto, paso a señalar la *segunda manera* de perdonar.

Concretamente entiendo por carga emocional positiva, la intimidad con Jesús.

Por la experiencia de la vida, sabemos cuánto cuesta perdonar; sabemos también que, para ello, más que para cualquiera otra actitud fraterna, necesitamos de Jesús. Por gusto no se perdona. Tampoco por ideas ni por convicciones, ni siquiera por los ideales. Por una persona sí.

¿Cómo hacerlo? Colóquese concentrado. Evoque, por la fe, la presencia del Señor. Y cuando haya llegado a un "encuentro" de intimidad con Él, dígale: Jesús, entra hasta las raíces más profundas de mi ser, asume mi corazón con sus hostilidades y sustitúyelo por el tuyo, perdona tú dentro de mí, quiero sentir por tal hermano lo que Tú sientes por él, quiero perdonarlo como Tú perdonaste a Pedro... ahora mismo, Jesús.

Usted va a experimentar cómo Jesús calma aquella agitación hostil y deja en el interior tanta paz que, puede levantarse tranquilamente para ir a conversar, con toda naturalidad, con el "enemigo". Estos prodigios los hace hoy Jesús.

Sucede frecuentemente el hecho siguiente: usted consiguió perdonar, incluso emocionalmente: fue pura gratitud del Padre: el rencor se apagó por completo como una hoguera reducida ya a cenizas. De pronto, de entre las cenizas grises surge de nuevo la roja llama. No se sabe por qué, esta mañana volvió todo: es tan desagradable sentir otra vez el rencor; es como una fiebre que quema y molesta. Con su perdón, vivía tan libre y feliz...

No se impaciente. Somos así. No tenemos dominio directo sobre ese loco mar de las emociones. Toda herida profunda necesita muchas curas para cicatrizarse por completo. Vuelva a repetir actos de perdón. Regrese a su intimidad en busca del Jesús vivo. Permita ser alcanzado y sanado, en sus heridas y emociones, por aquel Jesús que es misericordia y paz.

Comprender

Esta es la tercera manera de perdonar: comprendiendo.

Muchas veces pienso que si supiéramos comprender, no necesitaríamos perdonar. Bastaría comprender, y la sed de venganza quedaría calmada.

Comprender significa abarcar o rodear por completo una cosa. Comprender a una persona significa medirla, rodearla por completo, analizarla *en sí misma*, lo más objetivamente posible.

Sucede que, muchas veces, vemos al otro a través del prisma de nuestros prejuicios emocionales: antipatías, rivalidades antiguas, historias desagradables... De esta manera, nuestra visión del hermano queda enturbiada y coloreada. Esta visión distorsionada provoca, en nosotros, un estado

155

emocional, adverso al hermano. En el fondo de la incomprensión está presente, pues, la falta de realismo y sabiduría.

* * *

Qué fácil sería perdonar, no sólo intencional sino emocionalmente también, si tuviéramos presentes las siguientes reflexiones.

Fuera de casos excepcionales, nadie tiene voluntad de *hacer mal* a otro, nadie actúa con malévola intención. En una palabra: en principio nadie es malo.

Si yo encuentro que él me perjudicó o me ofendió, ¿Quién sabe qué le contaron? ¿Quién sabe si todo lo hizo bajo el peso de sus fracasos, o a partir de la tristeza de sentirse poca cosa, o de su estructura congénita? ¡Digno de comprensión y no de aversión!

Cuántas veces sucede que aquello que parece orgullo, es timidez; lo que parece obstinación, es necesidad de afirmación; lo que parece una actitud agresiva es una reacción defensiva o búsqueda de una falsa seguridad. Todo su comportamiento parecía tan insincero y amanerado, y se trataba, simplemente, de un *modo de ser*. Cuánto le gustaría, a él, ser de otra manera. Si supiéramos comprender...

Si este tipo es "difícil" para mí, más difícil es para él mismo. Si con ese su modo de ser sufro yo, más sufre él mismo. Si hay una persona en el mundo que desea no ser así, esa persona no soy yo, es él mismo. Y si él, deseando vivamente no ser así, no puede obrar de otra manera, ¿será tan culpable como yo estoy calculando? ¿Será tan digno de censura pública como yo pienso y deseo?

El que está equivocado no es él, soy yo. No merece repulsa sino comprensión, y ¿quién sabe si compasión? Hay una cosa preciosa que nosotros recabamos, todos los días, de nuestro Padre: la misericordia. En el último de los casos, ¿no será, el ofrecer la misericordia, el mejor modo de perdonar emocionalmente? Si supiéramos comprender, cuánta paz y sabiduría habría en nuestra alma.

* * *

Hay personas que nacieron *rencorosas*. Generalmente, el tiempo todo lo borra. Muchos sujetos, después de una explosión temperamental, se calman y luego se comportan como si nada hubiera sucedido. En cambio, los rencorosos no pueden olvidar: después de muchos años, lo recuerdan tan vivamente como en el momento en que aquello sucedió. Desean acabar con aquella memoria dolorosa porque son ellos los que sufren, pero no pueden. Es algo que no depende de su voluntad.

Es grande desgracia ser así. Pero este modo de ser es congénito y pertenece al fondo vital de la persona, o, como dicen, al fondo endotímico.

La persona rencorosa debe comenzar por entender su naturaleza psíquica. Sin elegir ni desear, nació con una estructura obsesiva que tanto lo hace sufrir. ¿De qué se trata? De una fijación emocional. El recuerdo de una persona o de una historia doliente se le fija tan obsesivamente en la mente que no puede desligarlo, después de largos años. Es decir, lo específico del rencoroso es que, siempre que recuerda aquella persona, lo hace con una descarga emocional agresiva. Para él, perdonar significa recordar a aquella persona sin descarga emocional y con indiferencia. Más que de un problema moral, se trata de una constitución psíquica y yo entiendo que, aquí, apenas existe culpabilidad moral.

¿Qué hacer? Los ejercicios de control mental realizados con paciencia y perseverancia, pueden ayudarlo eficientemente para aliviar este modo de ser. Si el rencoroso llegara a adquirir la capacidad de suspender a voluntad cualquiera actividad mental, llegaría a ser capaz de desligarse de cualquier recuerdo ingrato, también a voluntad. Además, el estado excitado aumenta el grado de agresividad interior. Cualquier ejercicio que lo ayude a apaciguarse, lo ayuda a suavizar su naturaleza rencorosa. Remito al lector al final del capítulo III.

D) Amar es ACEPTAR

Aceptar es más que respetar y menos que acoger. Muchas veces aceptar se entiende en el sentido de acoger.

Aceptar es esto: yo admito con paz que el otro sea tal como es.

Aceptar y comprender tienen fronteras comunes, y a la hora de la vivencia, uno no sabe dónde están sus límites correspondientes.

El *otro* es, casi siempre, un desconocido. Y por desconocido, es un incomprendido. Y por incomprendido, no es aceptado y surgen conflictos con él.

El misterio del hermano

El *otro* no escogió la existencia. En el momento radical, en la raíz de su existencia, el *otro* no tuvo libertad porque no optó por esta vida. Él fue arrojado a la existencia, sin haberla deseado ni escogido. Y *está ahí*.

Él no escogió a sus padres. ¿Quién sabe si con otros progenitores –otros códigos genéticos y otras combinaciones de cromosomas– habría sido una personalidad fascinante?

A él no le gusta su propio físico. Si él hubiera escogido sus rasgos físicos, no habría en el mundo morfología tan espléndida como la suya.

No le gusta la mayor parte de su propia constitución. Dice que su memoria es como una facultad aventajada y enferma. Su inteligencia, le parece a él, como un candil de pálida luz. Para mal de males, está dotado de un deseo de poder, ansia de notoriedad y necesidad de estimación tan grandes que, por contraste, arman en su interior un permanente estado conflictivo.

Las mil y una reacciones de su complejísimo temperamento y de su extraño carácter –que a mí tanto me irritan– él mismo no las puede soportar, y tiene que cargarse con ellas. A él le gustaría ser constante, y es versátil. Le gustaría ser suave, y es compulsivo. Le gustaría ser alegre, y es melancólico. Le gustaría ser puro, y es sensual. Le gustaría ser equilibrado, y es neurótico. No escogió nada. Todo lo recibió sin culpa ni mérito, y es muy poco lo que puede cambiar.

En resumen, el misterio profundo del hermano está en esto: sin desearlo él mismo, lo echaron a participar en esta carrera. No puede dejar de participar ni salirse de la carrera. Saldrá de ella, no cuando él quiera, sino cuando lo saquen.

Más aún; no solamente tiene que participar de una carrera no deseada, sino que lo tiene que hacer con un caballo que no es de su agrado. Y si el caballo es lerdo y lento, él no puede protestar porque sería como castigarse a sí mismo. Y si llega el último a la meta, por la incompetencia del caballo, sólo le resta sentir vergüenza de sí mismo, que es el peor castigo.

Ciertamente no podemos caer en un determinismo fatalista. Existen la Gracia y la libertad. Pero aun la Gracia está condicionada por la naturaleza. Ni la Gracia puede obrar milagros de transformación, cuando la naturaleza está radicalmente deteriorada.

* * *

Frente a este misterio del hermano, se levantan las grandes preguntas: ¿dónde está la culpabilidad?, ¿por qué rechazar al hermano como si fuera un monstruo, cuando en realidad es una víctima de las circunstancias concurrentes?, ¿qué sentido tiene el irritarse contra su modo de ser, que él no lo escogió?, ¿para qué levantar el muro de la ira, si merece ser arropado con el manto de la comprensión?

He aquí la gran conclusión: aceptar al hermano, tal como es.

Si yo, deseándolo vivamente, no puedo agregar un centímetro a mi estatura, cuánto menos podré agregar un centímetro a la estatura del otro airándome contra él.

Si yo debo aceptarme tal como soy, y no tal como quisiera ser (en este caso no habría hombre más magnífico que yo en el mundo), se concluye que debo aceptar al otro, no tal como a mí me gustaría que él fuera, sino tal como en realidad es.

* * *

Lo difícil –y necesario– es aceptar al otro como distinto. En una comunidad hay siempre muchas modalidades individuales. Unos son tímidos, otros audaces; unos callados, otros expresivos. ¿Por qué el tímido tendría que alterarse porque el otro sea un arrojado, o por qué el audaz tendría que enojarse porque el otro está siempre quietito en un rincón?

Unos tienen gran capacidad de trabajo; otros son muy limitados. Los primeros no quieran medir al segundo según su propia medida. ¿Por qué el eufórico tendría que quejarse del pusilánime?

El que sea controlado acepte al impulsivo, como impulsivo. El que sea alegre, acepte al melancólico, como tal. El modesto acepte al vanidoso. El introvertido no se queje del extrovertido. La comunidad es, casi siempre, como un mosaico multicolor, de tanta variedad y modalidades, como para elevar un himno de admiración al Creador.

Hay también *variedad de vocaciones*. Unos son urgidos por un apostolado activo, otros tienen fuerte tendencia a fomentar la intimidad con el Señor. Aceptarse en su vocación singular. Existen también criterios diferentes. Unos hallan que la actividad debe enfilarse primeramente a solucionar el hambre del estómago, otros encuentran que, antes que nada, estamos para saciar el hambre del corazón.

En una comunidad hay *diversidad de edades,* y esta diversidad, no raras veces, suele ser motivo de divergencias.

Los miembros jóvenes deben aceptar a los de mayor edad como son, con su riqueza y su pobreza.

Y los miembros experimentados en la vida, deben mirar con simpatía el entusiasmo juvenil de los que están entrando en la vida. Aceptarse mutuamente con un intercambio recíproco de bienes y limitaciones.

* * *

Aceptar es, pues, salirse de sí mismo, situarse en el lugar del otro, "dentro" de él, para analizarlo "desde" él mismo, y no desde mi perspectiva.

Aceptar al otro significa también considerarlo como *un regalo de Dios,* dado expresamente para mí. Significa alegrarse de su existencia, reconocerla como positiva, y celebrarla.

Aceptar, finalmente, significa abrirse al otro en forma de servicio, atención, estima y estímulo.

E) Amar es COMUNICARSE

Comunicarse y dialogar son dos verbos que tienen fronteras comunes. El uno y el otro, no obstante, tienen contornos peculiares y mutuamente complementarios. Por eso los estudiaremos por separado.

No decimos *comunicar*, porque esta forma verbal querría indicar algo así como entregar una cosa: comunicar un temor, una convicción, un criterio. En cambio, *comunicarse* encierra un sentido más entrañable y personal: entregar algo que es sustancialmente *mío*, algo que forma parte esencial de mi ser.

Nacido para comunicarse

Dios soñó y plasmó al hombre, tal como Él es: en una apertura donante y recipiente, siendo, cada hombre, un proyecto integrado en un conjunto de proyectos, entre los que, cada uno, sin perder la individualidad, compartiera la riqueza de los demás y, a su vez, enriqueciera a todos.

El hombre fue llamado, no para permanecer ahí, como si fuera un ser acabado y cerrado, sino para superarse, trascender sus propias medidas, en comunión con todos los demás.

* * *

Como hemos hablado más arriba, la persona no es un ser "para sí" ni "hacia sí". La persona es, por su naturaleza, tensión y movimiento hacia el otro, hacia el otro centro subjetivo que vive su propia individualidad.

Si un hermano enciende luz verde, y abre la pista a esa tensión en dirección del otro hermano, entonces nace la relación viva *yo-tú*, se crea un nosotros, y surge la comunidad.

161

En la medida en que el hombre se abre y se da, en esa misma medida es libre, y en esa misma medida madura y ama. El destino del hermano, la medida de su madurez es la entrega de su riqueza interior y, al mismo tiempo, la participación de la riqueza de los demás.

Comunicación no significa, pues, conversación, ni intercambio de frases, preguntas y respuestas; ni siquiera significa, exactamente, diálogo. Antes bien, es relación y revelación interpersonal. Hay, en la comunicación, un amplio juego en el que se cruzan recíprocamente y se introyectan las individualidades. Hay intercomunicación de conciencias, por la que el otro vive en sí y conmigo, y yo vivo *en él y con él*.

Miedo a abrirse

Con frecuencia tenemos miedo a entrar en comunicación con los demás. Lo queremos y no lo queremos. Estamos convencidos de que hay que hacerlo, pero no nos agrada porque vislumbramos riesgos. Entramos en una sabrosa comunicación con aquellos que tienen afinidad con nosotros.

Pero en la fraternidad, los gustos están fuera de circulación. Es el amor oblativo el que nos coloca por encima de los gustos.

Estamos dispuestos a acoger al otro, pero con tal de mantenerlo a cierta distancia. Resulta doloroso entregar la propia intimidad. Cuesta rasgar el velo de nuestro propio misterio, porque nos sentimos como "propietarios" de nosotros mismos.

Tenemos miedo porque si nos abrimos es como si perdiéramos lo más sagrado –y secreto– de nuestra persona. Jesús llama *amigos* a sus discípulos precisamente porque rasgó, ante ellos, el velo de su intimidad, y les comunicó los "secretos" que le había entregado el Padre.

* * *

Ese temor nos hace tomar la actitud de entreabrir calculadamente las puertas interiores a los demás, más para observar a ellos que para ser observados.

Si nos lanzamos al campo abierto de la comunicación, con las puertas abiertas de par en par, sentimos que nuestros puntos de vista (que generalmente contienen y sostienen nuestras posiciones vitales) corren peligro.

En otras oportunidades, sentimos un oscuro temor de que los otros puedan descubrir en nosotros zonas inexploradas, y tenemos miedo a lo desconocido.

En una palabra, la comunicación es una *aventura*, y exige coraje. Solamente con mucho amor, uno se puede abrir. Pero el hecho de abrirse a los demás fortalece la personalidad y aumenta la capacidad de amor.

El arte de abrirse

Decimos, pues, que se necesitan coraje y amor para comunicarse. Pero hay algo más: el abrirse es también un arte, y como todo arte, la comunicación exige aprendizaje. Y ese aprendizaje debe hacerse, sobre todo, en los días de la formación. Yo diría que formarse significa primariamente –para un religioso– prepararse para la vida fraterna. La tarea primordial del *maestro* es ayudar, al joven, a "salirse" de sí mismo, y abrirse a los demás.

El maestro se va a encontrar seguramente con caracteres reservados, por nacimiento. Aunque el carácter típicamente reservado no sirve para la vida fraterna, sin embargo, en muchos casos, la gracia y una ayuda eficaz del maestro pueden liberar progresivamente, al joven, de timideces, complejos y obsesiones, encaminándolo lentamente hacia la madurez profunda y liberadora.

¿En qué consiste esa ayuda? Me parece que aquí, más que nunca, el maestro tiene que ser un *entrenador*. Será, él mismo, el que tendrá que abrirse al joven, creando un clima de cordialidad, de persona a persona. Teóricamente, el for-mador tendría que ser, ante todo, un maestro de *comunicación*. A través del trato y del diálogo personal, lo mismo que hace un entrenador de natación con el aprendiz, el formador deberá, con su propia apertura, hacer experimentar al joven en el difícil arte de la comunicación.

Deberá ejercitarlo también en ciertos mecanismos como trabajos de equipo, revisión de vida, dinámica de grupo, diálogos... haciéndole descubrir y superar las dificultades interiores para la apertura.

Las dificultades del tímido

El tímido es aquel que tiene dificultad de entrar en la relación interpersonal con los demás.

El vulgo confunde al tímido con el apocado. Sin embargo, nada tiene que ver el uno con el otro. Muy al revés, es frecuente y hasta normal, encontrarse con tímidos que actúan en la vida con seguridad y firmeza. Muchos de ellos son emprendedores, dinámicos y ejecutivos. Es frecuente encontrarse en la vida con personalidades con estas características: timidez y audacia.

El problema específico del tímido se hace presente al entrar en comunicación con los demás. Sufre siempre que tiene que entrar en relación con el otro. Logra hacerlo porque es tenaz, pero no sin una especial dificultad y una cierta torpeza. Tiene miedo del encuentro personal.

La timidez es, generalmente, innata: proviene de los códigos genéticos, y está arraigada en la constitución general de la persona.

En cambio, otras deficiencias, que se parecen a la timidez, como los complejos, la inhibición y la inseguridad provienen normalmente de situaciones conflictivas o vacíos afectivos, ocurridos en la aurora de la vida. Éstos no tienen necesariamente problemas de comunicación sino otros de diferente naturaleza.

*   *   *

El tímido puede aparecer como persona poco fraterna, fría e, incluso, poco sincera. Más aún, siendo humilde, podría dar impresión de orgullosa a un observador superficial, y esto porque, por su instinto de fuga, tiende a evitar el encuentro con los demás. No causa buena impresión a primera vista. Podría causar admiración pero no agrado.

El tímido no es autoritario, sí ejecutivo.

Otra cosa es el acomplejado. Éste sí es autoritario, y peligrosamente autoritario. Se aferra y se escuda en la autoridad, y trata de compensar su inseguridad interior con "gestos" seguros y decisiones categóricas. El acomplejado es un "gobernante" desastroso. Es suspicaz, y cualquier resistencia a su opinión la considera como una actitud contra su persona. Pero él se defiende, no con su persona, sino manipulando la sagrada autoridad. Se hace fuerte en la autoridad, porque siente que su persona es "poca cosa".

*   *   *

Sabemos que, en la vida, no hay nada químicamente puro. Estos modos diferentes de ser o de actuar, normalmente están mezclados.

¿Cabe liberarse de la timidez? Cabe mejoría, pero no sanción, porque así como los complejos son "enfermedades", la timidez es un modo de ser.

El tímido tendrá que tener paciencia consigo mismo, y asumir con paz su modo de ser. Deberá esforzarse por superar su instinto de fuga, y por comunicarse. Pero aun con este esfuerzo, le costará mucho adquirir naturalidad.

Los hermanos que lo rodean, deberán comprenderlo y aceptarlo tal como es, y así ayudarlo a superar su innata dificultad para la comunicación.

F) Amar es ACOGER

El significado del verbo *acoger* podemos indicarlo con diferentes expresiones.

Yo hago un lugar dentro de mí para que el otro lo ocupe.

Acoger es permitir, al otro, la entrada en mi recinto interior.

Acoger es recoger, al otro, en mi interior, con brazos de cariño.

La confianza

A la hora de vivir el amor fraterno, acoger es la cima más alta y más difícil.

Muchas veces pienso que todo el misterio del amor se resume en el juego sobre esos dos polos: apertura y acogida. La acogida presupone, pues, la apertura. Presupone también el perdón, respeto y aceptación. Es necesario abrir primeramente las puertas de la intimidad, franquear el paso al hermano, para que entre en el recinto secreto de mi interioridad.

La *comunión* es un movimiento oscilante de dar y recibir, abriendo las puertas interiores de los unos a los otros. El efecto inmediato es la *confianza*, fenómeno colectivo difícil de describir, imposible de definir y facilísimo de sentir. Y el fruto final es el *gozo*, signo inequívoco de la presencia de una real fraternidad.

Toda persona es interioridad, mejor aún, interiorización. Cuando dos interioridades se abren mutuamente, y se proyectan, nace la intimidad: de dos presencias se formó una *presencia*. Cuando varias interioridades se abren mutuamente, y se proyectan, nace la fraternidad.

¿Qué es la *fraternidad*? Podemos hablar de fraternidad, pero no definirla. Es un clima de confianza que, como una atmósfera nos envuelve a todos los hermanos de una comunidad. Nosotros la "engendramos", es fruto de nuestra apertura-acogida, es nuestra "hija", pero esta hija, sin saberlo cómo, se nos transformó en nuestra "madre", como ya lo dijimos, en el sentido de que nos penetra y nos envuelve con su aliento de calor para darnos a luz y llevarnos a la plenitud personalizadora y comunitaria.

Bloqueos

Para acoger, es necesario ponerse en estado de *escucha*, respecto a los demás hombres, cuya personalidad se nos irá revelando en la medida en que estemos atentos.

Esta actitud de atención o apertura presupone, anteriormente y al mismo tiempo, un despojo completo. ¿De qué?

De los muchos prejuicios y falsas imágenes que se levantan, como murallas, ante nuestras puertas para bloquear las salidas y entradas.

Viejas historias, antipatías instintivas y ciegas reacciones sentimentales han contribuido muchas veces a que nos hayamos formado una imagen deformada del otro, que, no raras veces, se parece a una caricatura.

Esa imagen distorsionada desencadena en nuestro interior una serie de mecanismos de obstrucción que impiden cualquier acogida. Por de pronto obstruye por completo las vías de comunicación con aquella persona.

Fraternidad es aquella agrupación humana que, bajo la Palabra, se compromete a caminar hacia una mutua transparencia. Y, una vez libres los caminos y caídas las caricaturas, los hermanos serán acogidos por los hermanos en la verdad transparente de sus personalidades.

G) Amar es DIALOGAR

> ¿Tu verdad? No. La Verdad.
> Ven conmigo a buscarla.
> La tuya, guárdetela.

(Antonio Machado)

Basta abrir los ojos y observar los comportamientos comunitarios de un grupo, y pronto llegaremos a la conclusión de que gran parte de las desinteligencias, entre los hermanos, derivan de la falta de diálogo.

El diálogo se parece, a veces, a un instrumento mágico: opera prodigios. Es como un sacramental. Cuántas veces, en situaciones conflictivas que se arrastran desde largos años y, al parecer, no tenían solución, sólo una hora de diálogo despejó suspicacias, aclaró malentendidos, y creó un nuevo clima de confianza. Es, el diálogo, una solución casi infalible para todas las tensiones que puedan originarse en el seno de una comunidad.

Sabemos cómo nacen las desinteligencias. Alguien comentó algo sobre otro. Un tercero tomó las palabras, las cargó de tinta, y se las transmitió a ese otro. El transmisor y el destinatario del comentario supusieron una intencionalidad que, en realidad, no existió en el comentador. Se abrió la distancia que, a veces, puede tomar proporciones. Sentados en sendos sillones, los interesados tuvieron un pequeño diálogo. Llegó el entendimiento, y los dos se sintieron ¡tan aliviados...!

El coordinador de una casa recibió un informe confuso sobre un determinado hermano. Sobre aquel informe, el coordinador proyectó una carga de suposiciones. Vivió, por tiempo, oprimido y dominado por suspicacias respecto del tal hermano. Un diálogo, difícil al principio, cordial al final, entre los dos, aclaró todo. El coordinador quedó impresionado de sí mismo, al ver con qué facilidad había tejido una tela de suposiciones.

Las personas que se dejan dominar fácilmente por ideas fijas y manías persecutorias, necesitan, de forma especial, del diálogo, para liberarse de suspicacias que, con toda facilidad, incuban en su interior.

Al principio no había soledad

En la aurora del mundo, encontramos al hombre como un ser plenamente *abierto*. Para con Dios, el hombre era como una amapola ante el sol: de brazos abiertos y confiante –y confidente–. Efectivamente, al caer del sol, todas las tardes Dios se paseaba con el hombre, en el jardín, como un amigo con otro amigo. Dios le descubría sus planes e intenciones, y entre los dos circulaba una corriente de gran intimidad. El hombre nació dialogando.

El hombre apareció, en el mundo, abierto también a su compañera, a su descendencia, a las criaturas todas a las que puso nombre, signo de comunicación. Nació, en una palabra, en un diálogo fraterno y cósmico, como en un gran concierto, sin desafinos, con toda la creación. El hombre no conoció la soledad.

Incomunicado

Pero llegó el pecado. El hombre sintió que un mundo de armonía se desplomaba en su interior. Algo importante acababa de suceder: se rompieron todos los cables de comunicación, y el hombre quedó incomunicado.

Por primera vez se sintió solitario como un desterrado. Sintió vergüenza de sí mismo. De repente se sintió enemigo de todos. Nadie estaba con él, todos estaban contra él, comenzando por Dios. El desastre había tenido un epicentro: el diálogo.

Aquel día le sucedió algo inédito. Caía la tarde; el hombre escuchó los pasos de su amigo Dios que se paseaba, como de costumbre, en el jardín, a la brisa vespertina. Ahora entendió que Dios ya no era amigo ni interlocutor. Las ligaduras, otrora tan entrañables, estaban desgarradas. Despavorido, llevado por un extraño impulso, corrió buscando matorrales y árboles para esconderse de su presencia. Gran misterio: las criaturas, en lugar de ser enlace entre el hombre y Dios, el pecado las había convertido en interferencia y escondite.

El pecado transformó el diálogo en un pleito: juicio y condenación. Dios interpela. El hombre se excusa y acusa. Dios insiste. El hombre se justifica. Ya no hay diálogo. Cuando las interioridades están enlazadas, la palabra es puente por donde van y vienen los corazones. Cuando los corazones están incomunicados, la misma palabra es muralla de mayor separación.

En el concierto de la creación entró la "enemistad" como un acorde desabrido. El pecado desató una tempestad de maldiciones, anatemas, excomuniones y castigos (Gén 3, 14-24). Peor aún, ese pecado interpuso una espada, envuelta en llamas, en manos de un querubín, para impedir el paso del hombre hacia la fuente de la Vida (Gén 3,24), terrible símbolo de todo destierro, aislamiento y solitariedad.

Podemos afirmar que, desde este instante, el impedimento radical y absoluto del diálogo, en todos los niveles, es el pecado.

* * *

169

Después de este desastre, ¿cómo se hará ahora la restauración? Solamente aliando y dialogando. La historia de la salvación es la gran epopeya de la reconciliación. Dios *congrega* a las doce tribus que estaban dispersas. Con ellas establece una Gran Alianza. El pecado había disgregado a los hombres, Dios los salva congregándolos.

> **Dios nos reconcilió consigo, por Cristo,**
> **y nos entregó**
> **el misterio y el ministerio de la reconciliación,**
> **porque, en Cristo,**
> **reconcilió el mundo consigo (2Cor 5, 19).**

Un reloj en medio

El diálogo no es un debate de ideas, en el que se combate con el fuego cruzado de criterios, tras los cuales se ocultan y se defiende las actitudes e intereses personales.

Diálogo no es polémica, ni controversia, ni confrontación dialéctica de distintas concepciones o mentalidades. No se trata, tampoco, de varios monólogos, entrecortados por el juego de luces verdes y rojas, como sucede con los semáforos de las calles.

* * *

Se trata de buscar la verdad entre dos personas, o en un grupo.

Imaginemos un caso. Yo me encuentro frente a otra persona. Ponemos un reloj en medio de los dos. Los dos vemos el mismo reloj. Sin embargo, el reloj (la parte del reloj) que ve usted es diferente, y hasta opuesto, a lo que veo yo, a pesar de tratarse del mismo reloj.

Cada persona contempla las cosas desde la perspectiva propia. Cada uno capta y participa de las cosas y de los sucesos, de una manera original y diferente.

Por eso mismo, nuestra percepción personal es necesariamente parcial, y nos enriquecemos con la percepción, también limitada, de los demás. Captamos la verdad de forma necesariamente incompleta debido a la condición humana limitada, debido a la relatividad e historicidad humanas.

Así –siguiendo con el ejemplo del reloj– si queremos tener la "verdad" del reloj, su imagen será más completa si juntamos mi percepción con la percepción del que está enfrente. Pero si colocamos otras dos personas, que miran a cada lado del reloj, y juntamos las cuatro percepciones, entonces la "verdad" del reloj será mucho más completa.

Plenitud e indigencia

En la vida de cada persona, hay pues, una plenitud y una indigencia. Digo *plenitud* porque cuando *veo o vivo* una realidad, tengo la impresión de ver y vivir esa realidad *plenamente*.

Sin embargo, cuando los otros ven y viven esa misma realidad también ellos sienten que la ven y viven *plenamente*.

Experimentan otros enfoques, diferentes al mío, pero con la sensación de plenitud: ellos sienten que la realidad es *completamente así*.

Yo necesito –indigencia– de la plenitud de ellos, de la visión perceptiva de ellos. Ellos necesitan de mi percepción visual –de mi plenitud–. He aquí la necesidad y el fundamento del diálogo.

Nos complementamos

Tenemos para dar, y necesitamos recibir. Complementariedad significa eso: yo tengo algo que tú no tienes, y viceversa.

Todo diálogo se desarrolla sobre diferencias. Es necesario que tú seas *tú mismo*, y yo sea *yo mismo*, cada cual con la total identidad consigo mismo. El diálogo exige, pues, en primer lugar, una gran sinceridad.

Se presupone que, en el diálogo, va a surgir la tensión, a veces latente, otras veces manifiesta.

Esto sucede porque nos cuesta recibir la "verdad" de los demás, sobre todo cuando la "visión" del hermano contradice mi propia visión. Peor aún, cuando la "verdad" ajena amenaza indirectamente la actitud vital que, con frecuencia, se esconde detrás de mis criterios.

Cuando surgen las diferencias sobreviene el momento más difícil. En este momento existe el peligro de que el diálogo se transforme en un debate a la ofensiva o a la defensiva, o en una palabrería estéril.

Aparece la tensión

Por lo general, en este momento surgen dos estrategias: el instinto de anular las diferencias, resistiéndolas, buscando argumentos y luchando para que los demás piensen como yo. La otra tentación consiste en imponer sus mil formas, obstruye el diálogo, en todos sus niveles, la propia verdad de forma avasalladora, atacando y anulando la "verdad" del otro.

Esta actitud dominadora puede pasar peligrosamente a otro instinto: el de la "destrucción" de la persona del otro, cuando un sujeto se siente completamente perdido y sin posible salida, o cuando presiente que la "verdad" del otro puede constituirse en una amenaza para su posición vital.

Cuando los dialogantes son inexpertos e inmaduros, o están dominados por una fuerte dosis de narcisismo, el diálogo, entonces, tiende a ser invasión total del "yo" en el "tú".

Existe también otra tentación: la de dejarse llevar por lo que los otros dicen. Esto ocurre cuando el otro tiene una personalidad dominadora, y la de uno, en cambio, es débil, con tendencia a la dependencia. Ambas posiciones acaban por anular el verdadero diálogo. Para un diálogo constructivo, hay que comenzar por descubrir lo que tenemos, en común, entre él y yo, y luego, discernir con precisión lo que hay de diferente entre los dos.

* * *

Es, pues, inevitable cierta tensión, en todo diálogo. Tengo que esforzarme, sin compulsión, por seguir siendo *yo mismo*, sin dejarme absorber, pero al mismo tiempo debo admitir y hacer *mío* todo cuanto de bueno existe en el otro. Y al mismo tiempo, de mi parte, tengo que abrirme hacia los otros, para ofrecer mi verdad y mi riqueza, teniendo sumo cuidado de no invadir ni anular a nadie.

Como se ve, el diálogo y la comunicación avanzan, en su proceso de maduración, por un camino erizado de conflictos, que son el precio de una madurez. Es verdad que el conflicto puede matar el diálogo, pero también puede matarlo la falta de conflicto. El diálogo, sin una cierta tensión, no es diálogo sino una conversación.

Palabras con significados diferentes

Para un diálogo entre dos sujetos, entre súbdito y coordinador, o a nivel comunitario, las dificultades comienzan por el lenguaje.

Las palabras del vocabulario están cargadas de diferentes valores y significados. Palabras que, a mí me dicen mucho, al otro no le dicen nada, y viceversa.

Ciertas expresiones despiertan, en un determinado sujeto, emociones desagradables e historias ingratas, por una combinada asociación de recuerdos. Otras expresiones pueden despertar, en algunas personas, profundos complejos o un conjunto de tensiones no resueltas, o, en fin, fragmentos vivos de la historia personal. Esas tensiones, sin resolverse, mantienen paralizadas, en lo más profundo de nuestro ser, grandes energías, eventualmente reprimidas. Todo eso –a la hora del diálogo– puede turbar nuestro lenguaje, mejor, nuestra comunicación con inhibiciones, compulsiones…

A veces se forman, en una comunidad, bloques mentales, según la visión política, mentalidad eclesial o criterios pastorales. En este caso, unas mismas palabras, según sea la boca que las pronuncie, conllevan diferentes, y hasta opuestos, significativos; y eso dificulta la comunicación.

En el corazón del hombre

Sin embargo los obstáculos más serios, para el diálogo, se esconden en el corazón humano. Ya conocemos los frutos desabridos que produce una raíz irredenta: discordias, iras, envidias… (Gál 5, 20). El egoísmo, en sus mil formas, obstruye el diálogo, en todos sus niveles.

De este egoísmo nace la necesidad de *autoafirmación*, con tendencia a excluir a los demás. Esto origina, a su vez, una adhesión morbosa a nuestro punto de vista, por la identificación simbiótica existente entre la persona, la imagen, y las ideas de la propia persona.

Esto puede tener consecuencias desastrosas en cualquiera discusión doméstica, así se trate de cuestiones banales. Peor todavía si la necesidad de autoafirmación está enraizada en complejos de inferioridad.

Una imagen inflada de uno mismo hace que pretendamos constituirnos en monopolizadores de la verdad, y hace que no se soporte a nadie que disienta de nuestro parecer. Cualquier criterio contrario se interpreta como actitud personal contraria.

Condiciones para el diálogo

Siempre que se busca la verdad o se quiere superar un conflicto interpersonal, por medio del diálogo, la actitud primera y elemental es la *humildad*.

No hay disparate en este mundo que no tenga parte de verdad. Y no hay mente humana que sea capaz de aprehender la verdad completa.

Necesitamos humildad para olvidar viejas historias, desavenencias pasadas, lo que ocurrió en nuestro diálogo anterior. Se necesita la actitud generosa de *perdonar*. Son las situaciones emocionales las que bloquean la comunicación entre los hermanos. Las distancias, en los corazones, cristalizan en distancias, en las mentes. En esos casos, las personas se inhiben y se repliegan hasta las regiones más lejanas de sí mismos.

Se necesita humildad para comenzar de nuevo, después del fracaso del diálogo anterior. Necesitamos humildad para desligar mi persona de la verdad, para buscar la verdad y no a mí mismo o mis intereses exclusivos, con ocasión del diálogo.

Necesitamos humildad para reconocer errores o algunos aspectos de la verdad en que estábamos equivocados, y dejarnos enriquecer con la verdad del otro. Necesitamos humildad para no asumir un aire triunfal cuando se llega a la conclusión de que uno tenía razón.

En fin, necesitamos humildad para bajar la voz, e incluso silenciarnos, cuando la discusión entró en la zona de fuego, o cuando uno percibe que el "adversario" se sintió humillado por el resultado del diálogo.

* * *

Para dialogar bien, necesitamos también de *buena voluntad*.

Esto significa, primeramente, que uno debe tener *fe* en el otro. Tenemos que pensar que, también el otro, procede con recta intención, llevado por una sincera búsqueda de la verdad.

Es necesario tener presente que, en todo conflicto fraterno, cada uno se bota a víctima, y todos dicen tener razón. Normalmente la culpa está en los dos lados. Y es uno mismo quien tiene que comenzar por preguntarse por la parte de su propia culpa.

Buena voluntad significa *respetar* al otro, sobre todo en las reuniones grupales. Cualquier comentario, sonrisa o gesto despectivo, no solamente turba al que habla, sino que a algunos hermanos los deja inhibidos y como paralizados para los futuros encuentros.

Es necesario *aceptar* al otro, tal como es, sin prejuicios, sin apriorismos. Tengo que pensar que, así como yo, también él tiene derecho a ser *él mismo*, con sus peculiaridades y deficiencias. En el momento de escucharlo, tengo que acallar los prejuicios contra él, mirarlo con simpatía, y comprender la globalidad de su personalidad, su historia pasada y su situación presente.

Sería bueno despertar *reverencia*, en nuestro interior, respecto al interlocutor. Cuando alguien se siente apreciado, abre fácilmente sus puertas interiores.

En una palabra, para el diálogo ideal, uno tendría que colocarse dentro del interlocutor.

Finalmente, es necesario tener *paciencia* y *perseverancia*. Paciencia para aceptar con paz el hecho de que el camino que conduce al verdadero diálogo es largo y difícil porque sus leyes son lentas y evolutivas.

Perseverancia para no tirar por la borda al segundo o tercer fracaso. No se debe pretender quemar etapas, precipitando los acontecimientos, y dejándose llevar por la impaciencia.

* * *

En cada comunidad debería crearse un verdadero *culto al diálogo*: creer en el diálogo, esperar en el diálogo, cultivar el diálogo.

El diálogo es un arte donde no hay rutas ni pautas preestablecidas. Sólo dialogando se aprende a dialogar, igual que el niño, que sólo dando pasos, aprende a andar.

La comunidad debe creer y amar el diálogo porque él

> **desenlaza todos los nudos,**
> **disipa todas las suspicacias,**
> **abre todas las puertas,**
> **soluciona todos los conflictos,**
> **madura la persona y la comunidad,**
> **es el vínculo de la unidad y de la paz,**
> **es el alma y la "madre" de la Fraternidad.**

H) Amar es ASUMIR al hermano "difícil"

Asumir significa tomar y tratar al hermano con comprensión, cariño y estímulo.

Decimos "difícil" por no decir "enfermo". Llamemos "enfermo" por no hablar con palabras como histérico, frustrado, excéntrico, sádico…

Hemos explicado que es necesario respetar y aceptar al prójimo, tal como es. Esta actitud, sin embargo, asumida aisladamente, podría eventualmente, constituir cobardía o irresponsabilidad. Las actitudes interpersonales, estudiadas en este capítulo, deben contemplarse en un cuadro general y complementario. Así, por ejemplo, comenzamos por respetar silenciosamente y acabamos elevando al "caído". Comenzamos por aceptar que el otro sea así, y acabamos acogiéndolo en nuestro interior, para mejorarlo.

Nosotros también

Entre los miembros de una comunidad humana, siempre hay "enfermos", en diferentes grados y diversas patologías. Más aún; todos nosotros somos *difíciles*, por momentos. Basta recordar la propia historia, o mirar alrededor, y comprobaremos que también las personas de mayor madurez pasan por situaciones de crisis. En tales emergencias, aun los sujetos más equilibrados pueden tener reacciones compulsivas o infantiles.

Este individuo, muy normal de ordinario, por estos días anda sombrío e irritable, ¿debido a qué? Nadie sabe. ¿Lo sabrá él mismo? A aquel otro lo trasladaron inesperadamente a otra casa hace muchos meses. Todavía no se ha recuperado del disgusto, actúa con síntomas infantiles y está sumamente nervioso, ¡él, que era una maravilla de serenidad!

El ser humano es imprevisible porque operan sobre él mil agentes desconocidos. Hombres casi divinizados, llegada la hora de salir de este mundo, se resistieron agitadamente a esta partida, mientras que, hombres medio mundanos tuvieron una reacción inesperada a la hora de morir, abandonándose con paz en las manos del Padre.

Todo es desconcertante, y a veces, no hay lógica en la conducta humana. Difíciles, somos todos, por momentos. Y, por veces, todos necesitamos que la comunidad nos asuma con brazos de cariño y comprensión e inclusive, de consolación.

Aquí, sin embargo, cuando hablamos del sujeto *difícil* nos referimos a aquellos individuos cuyo comportamiento es, normalmente conflictivo. ¿Qué debe hacer la comunidad con estos miembros? ¿Cuál es el camino a seguir, no para extirpar el mal sino para curarlo?

Origen de los males

Hoy día, corre en muchas partes el mito, inventado y usufructuado por los profesionales, en el sentido de que gran parte de las "enfermedades" del espíritu provienen de la situación anímica materna, en los meses prenatales. Reconozco que, en esa afirmación, puede haber una buena dosis de objetividad. Pero en un aspecto general, y a partir de lo que sucede en la vida, la tal afirmación no deja de ser, frecuentemente, una espléndida racionalización que hunde más al "enfermo" en su incapacidad de curación.

En efecto, debido a esta afirmación generalizada y racionalizante, la persona *difícil* se agudiza, cada día más, en su neurosis porque inculpa a todo el mundo, comenzando por sus progenitores, de todos sus males sin reconocer jamás su cuota de culpabilidad. De esta manera, no da pasos positivos para colaborar a su "curación", además de que la comunidad no asume su parte de eventual culpabilidad ni la iniciativa para la "curación".

* * *

No vamos a hacer aquí un amplio cuadro clínico de los distintos síntomas de enfermedades del alma, de rarezas y excentridades que pueden darse en todas las comunidades. Los verdaderos hombres de ciencia nos dirán que gran parte de esas "enfermedades" provienen de la constitución bioquímica, de los códigos genéticos y de las diferentes combinaciones de cromosomas. Los llamados traumas, represiones y otras deficiencias de higiene mental, no influyen decisivamente en las tendencias, actitudes y comportamientos humanos.

Un electroencefalograma, el funcionamiento deficiente de cualquier glándula endocrina, sobre todo de la hipófisis o una excesiva descarga de adrenalina pueden explicar muchos comportamientos irregulares mejor que cualquier diagnóstico psicoanalítico.

Sin embargo, a nosotros no nos interesa diseñar aquí un cuadro patológico completo de tantos tipos de sujetos *difícilles* que pueden darse en las comunidades, sino en qué medida puede contribuir la comunidad para generar o curar las enfermedades espirituales de sus miembros.

Un caso frecuente

El caso más corriente, según me parece, es el siguiente.

El ser humano nació para amar y ser amado. Y sólo comienza a sentirse *realizado,* en un crecimiento personalizante, al desplegar sus capacidades afectivas, en contacto con los demás en una actitud de servicio y donación.

Ahora bien; si un sujeto, una vez incorporado a la comunidad percibe que los demás miembros están "ausentes", aunque estén codo a codo con él, entonces aquel sujeto, por un instinto de reacción defensiva, toma la dirección hacia sus regiones interiores, en un temeroso movimiento de repliegue.

Pues bien, una vez allá dentro de sí mismo, el pobre hermano se siente envuelto en la noche fría de la *solitariedad.*

Esa fría soledad interior es un clima propicio para contraer las enfermedades del espíritu. Cuando este sujeto salga de sus solitarias interioridades para relacionarse con los demás, es seguro que, para ese momento, ya estará "enfermo".

En mi apreciación, esta es la radiografía para explicarnos el caso de aquellos miembros, que siendo sanos cuando ingresaron en una comunidad, al cabo de muchos años acaban por ser individuos agresivos, resentidos o infantiles. Esta es, también, la razón que explica el caso de aquellos individuos que disponían, antes de incorporarse a una comunidad, de un modo de ser suave y cariñoso, y años más tarde se les ve duros e insensibles. En vez de madurar, recrudecieron.

Por la observación de la vida he llegado a la conclusión de que los sujetos *difíciles* son así porque se sienten vacíos de afecto fraterno. Tienen la sensación de que nadie los quiere. Se sienten solos. Y entonces, por esos misteriosos dispositivos de compensación, reaccionan molestando a medio mundo. Con esta violencia se compensan (se "vengan") de la solitariedad dolorosa que sufren. No digo que siempre sea así, pero sí frecuentemente.

Difícilmente nos percataremos en su exacta medida de cómo la cosa más triste que le puede suceder a una persona en este mundo es sentirse sola, percibir que nadie se interesa por ella. Una gran potencia mística podría sublimar esta frustración, pero normalmente no hay más sustitutivos que las compulsiones.

Como se ve, la consecuencia necesaria de una frustración es la violencia. No aman porque no se sienten amados. Sin embargo, cuando un hombre muy maduro no se siente amado, en lugar de buscar ser amado, puede reactivar su capacidad de amar, y en este caso, no se da la frustración sino una marcha acelerada hacia la madurez.

Con otras palabras, la frustración de no ser amado puede ser compensada con la satisfacción de amar. ¿No me aman? Voy a amarlos. ¿No me comprenden? Voy a comprenderlos. ¿Aquí sólo hay pesimismo? Voy a poner optimismo.

Qué hacer con el sujeto difícil

El Evangelio aconseja, como primera medida, la corrección fraterna. Siempre pensamos, y es posible que así sea, que los que actúan incorrectamente, lo hacen por no darse cuenta de su incorrección. Debido a esta miopía, el Evangelio aconseja primeramente dar un toque de atención al incorrecto. No es tarea fácil. No sería nada extraño que el que hace este *acto de amor* sea considerado desde ese momento, por lo menos tratado, como enemigo, por aquel que recibió la corrección.

Éste es, justamente, uno de los síntomas del neurótico: no caer en cuenta de su falta, por estar ofuscado por el resplandor de su imagen aureolada y falsificada. Y, si en algún momento reconociera su error en la intimidad, jamás lo reconocería públicamente porque, con ello, se desplomaría su estatua. Ante la corrección fraterna, el neurótico casi siempre reacciona agitadamente. ¿Qué hacer entonces?

El segundo paso que aconseja el Evangelio es llevar el asunto al nivel de la fraternidad. En una revisión de vida, el grupo de los hermanos haría ver al *difícil* lo incorrecto de su conducta. Es dudoso que los resultados sean positivos, en este segundo paso. Sin embargo, yo soy de opinión de que, aunque el sujeto *difícil* reaccione con una crisis depresiva o un llanto histérico, no por eso debe eludirse la corrección grupal, porque después de un cierto tiempo, el·díscolo podría reconocer la falta en su intimidad, y corregirse; o podría también corregirse por temor al desprestigio público, ya que la imagen es vital para él.

* * *

Sin embargo, normalmente el individuo y el grupo evitan pasarse un mal rato y descargan su responsabilidad sobre los hombros de la autoridad. Y aquí tenemos al "superior", urgido por la responsabilidad del cargo y el orden de la fraternidad, enfrentándose con el rebelde.

Muchos "superiores", no obstante, eluden con frecuencia esta responsabilidad con nuevas racionalizaciones: ya son adultos; hay que respetar la libertad personal; ya saben lo que hacen; no se les puede tratar como niños... Como se ve, son *razones para la exportación*. Pero difícilmente las tales "razones" aquietarán su conciencia.

La mejor medicina, el amor

Francisco de Asís, un hombre a quien la vida había dado tanta sabiduría, entrega a los responsables de las fraternidades un impresionante rosario de insistencias, para el momento de la corrección fraterna. Les dice que comiencen por enterrar el hacha de la ira bajo muchos metros de tierra, que controlen sus nervios y traten a los "enfermos" con pétalos de rosa pensando que tocan heridas dolientes. Y que usen expresiones impregnadas de tanta cortesía y humildad que los rebeldes se sientan como "señores".

Es como pedir demasiado. No siempre los responsables conseguirán tal dominio de nervios para envolver al sujeto incorrecto en una atmósfera de paz.

* * *

Después de vivir mucha vida en pocos años, el hombre de Asís cambió de criterio. Fue convenciéndose de que las leyes medicinales y vindicativas son eficaces para la hora de corregir. Las amonestaciones canónicas, las amenazas y castigos encierran una excelente eficacia para mantener el orden, guardar la disciplina y erradicar los males.

Pero observó también que esas mismas leyes eran extraordinariamente estériles para la hora de "redimir". Nunca había conocido un solo hermano "sanado" por las leyes coercitivas.

Y después de ver tantos casos y cosas, llegó a la conclusión final de que, en este mundo, lo único que redime a los rebeldes y enfermos es el amor, ya que, justamente son "enfermos" por carecer de amor.

La corrección separa, distancia al que corrige del corregido. Detrás de la corrección parecen escucharse el estallido del látigo y músicas de amenazas. El amor, en cambio, asume al "enfermo" con las dulces manos de la comprensión y del cariño.

Yo mismo he presenciado verdaderos prodigios de transformación, gracias a la eficacia del amor. He conocido o he sabido de caracteres verdaderamente "imposibles" que, al fin, se encontraron con un "superior" paciente que, simplemente, comenzó a *amarlos* (sin amonestar). Y aquellos rebeldes comenzaron a cambiar como por arte de magia, hasta llegar a una gran transformación. ¡Cuántos de estos casos!

Ya en los últimos años de su vida, Francisco de Asís aconseja insistentemente la receta del amor, como la única medicina para sanar. El responsable de una Provincia había escrito a Francisco explicándole que, entre los hermanos, había algunos rebeldes y contestatarios, y le preguntaba cómo debía actuar con ellos. El hombre de Asís le respondió por carta: "Ama a los que te hacen estas cosas". Más tarde, en la misma carta, le reitera: "les darás pruebas de amor". A la pregunta concreta sobre qué determinaciones tomar contra aquellos rebeldes, Francisco dio esta sorprendente respuesta: "Ámales más que a mí". A su sucesor en el gobierno de la Fraternidad, Fray Elías, en una primera carta, le entregó estos consejos de amor: "Sólo en esto reconoceré si eres siervo de Dios: si, *por medio del amor*, llevas a Dios a tu hermano extraviado, y *nunca dejes de amarlo*, por más grave que sea su pecado".

Aquí está el problema difícil. Cuando un sujeto escandaliza o perturba el orden, la comunidad –sobre todo el coordinador– reacciona airada y conturbadamente. Todos sienten repulsa por aquel sujeto. Mental y emocionalmente condenan al rebelde. Este, al sentirse condenado, se endurece en su rebeldía. "Nunca dejes de amarlo" ¡he ahí la actitud necesaria y difícil! Que no sorprenda la noche, al coordinador, montado sobre la ira. Para estos casos, amar significa amainar la ira y la conturbación.

* * *

Amar al rebelde es cosa fácil y natural, pero para amar al *difícil* se necesita un coraje poco común, una naturaleza especial o un don infuso de lo alto.

Justamente aquí está el filo de la cuestión. Estamos metidos en un círculo vicioso. Está "enfermo" porque no lo aman. No lo aman porque no es amable. Para mal de males, se trata de un círculo vicioso acelerado. Cuanto menos lo aman, más difícil y hosco se torna. Cuanto más difícil y hosco se torna, menos lo aman, y van abriéndose las heridas y las distancias.

¿Qué significa asumir? La comunidad deberá tener infinita paciencia con los sujetos difíciles. Esta actitud sólo puede tenerse como gesto oblativo por amor a Jesús porque por gusto es imposible tratar con paz y cariño al perturbador de la comunidad. Para tener esta paciencia ayudará también tener presente las consideraciones que hicimos más arriba sobre la comprensión.

A veces se encuentran en las comunidades sujetos tan difíciles que ni siquiera se dejan amar. Cuando la comunidad intenta asumirlos, ellos reaccionan extrañamente resistiendo y rechazando el amor que se les brinda.

Generalmente sucede esto porque la actitud cariñosa de la comunidad les "suena" a estos sujetos como si se les dijera: te trato así para que te portes bien, y te corrijas. Les suena, con otras palabras, a amor "interesado" –que no es amor–. Como el sujeto difícil está "enfermo" por carencia de amor –aunque no siempre–, justamente por eso tiene una sensibilidad única a todo lo que sea afecto, y rápidamente "huele" que en tal actitud de la comunidad no sólo hay interés sino también una *trampa* –como el cebo de un anzuelo– para que sea "buenito". Con esto, el difícil se siente humillado y reacciona de forma esquiva.

Sin embargo, no existe otra medicina para estos casos sino el amor paciente y desinteresado.

* * *

Hoy día, en algunos países, se ha introducido la costumbre de frecuentar consultorios psiquiátricos, costumbre practicada sobre todo por las religiosas. Conocí muchas Madres provinciales que, al menor síntoma de crisis de una religiosa, la aconsejan de entrada –a veces presionando, alguna vez obligando– irse a consultar con un psiquiatra.

Después de conocer y tratar a millares de religiosas, siento fuertes reservas sobre este hábito, tan generalizado.

En estos tratamientos –tanto en el análisis como en la terapia– se le sumerge a la paciente (la religiosa) en un contexto sin Dios, se prescinde del espíritu de consagración, las enfermedades son efecto de las represiones, como si el alma no existiera, como si la Gracia no existiera, como si, fuera de la "carne", todo fuese ilusión. Hemos caído en un nuevo dogmatismo, es un nuevo mito al que tantos eclesiásticos se adhirieron con tanta devoción como superficialidad con peligro de perder de vista los valores sobrenaturales; muchas personas quedaron con una mentalidad confusa y con la fe deteriorada.

Cuando los analistas son freudianos (lo que ocurre casi siempre) la religiosa es llevada –sin premeditación– a la íntima convicción de que el valor más importante de la vida es el valor sexual; y como no cultivó este valor, la paciente queda con la impresión de haber perdido el tiempo en su vida.

Sin proponerse, se ha sustituido en muchos casos, al confesor y director espiritual por el psicoanalista. Dicen que escasean los sacerdotes que se dedican a orientadores espirituales. Entre las religiosas, hay mujeres de admirable equilibrio y sabiduría. ¿Por qué no se busca a ellas, como animadoras y orientadoras? En muchas partes, hasta los laicos buscan a las religiosas como orientadoras de los problemas de su vida.

Muchas veces me he preguntado por qué la mujer religiosa –y no sólo la religiosa– acude con tanta facilidad al consultorio psiquiátrico, a veces por largos años, y a alto precio. La explicación, me parece, es ésta: se sienten centro de atención e interés, se sienten atendidas personalmente. Y justamente aquí reside el desafío para la fraternidad. Si se sintieran amadas por los miembros de la comunidad, no habría necesidad de consulta psiquiátrica y vivirían libres y felices.

El psicoanálisis pretende engendrar la independencia (libertad) en el paciente. Y lo que se observa, con notable frecuencia, es cuánta dependencia genera en sus pacientes, respecto al analista.

La observación de la vida me ha llevado a la conclusión de que la inmensa mayoría de las llamadas enfermedades psíquicas pueden ser sanadas en el seno cálido de una fraternidad, y con una atención esmerada de parte de la coordinadora. Son muy pocas las personas que necesitan de ayuda "clínica".

Si el analista es una persona de fe y lleva en consideración el espíritu de una consagración (además de profesional competente) –sólo en ese caso– podría colaborar eficazmente a superar situaciones de emergencia.

* * *

En cuanto a los exámenes o *test* psicológicos para la admisión de las candidatas, he visto a lo largo de mi vida casos que indignan por su arbitrariedad e injusticia.

He visto cómo los tales exámenes psicológicos son frecuentemente desmentidos por la vida.

He presenciado con dolor cómo excelentes muchachas fueron arbitrariamente interceptadas en su deseo de consagrarse al Señor. En lugar de observarlas y "estudiarlas" en los años de formación, cercenan tranquilamente una eventual vocación apoyándose en una de esas conclusiones "científicas" que, frecuentemente, están en contradicción con la observación y el sentido común. Algunos casos que he conocido, no dudo en considerarlos como un atentado contra el misterio de la persona y de los designios de Dios.

Exámenes psicológicos: he ahí el nuevo mito al que tantos Consejos Provinciales se adhieren superficial y ciegamente como si fueran dogmas infalibles.

No estoy en contra de los tales *Test* sino en contra de su dogmatización. Algunas veces son necesarios. Siempre son convenientes; pero a condición de que se los mire como lo que, en realidad, son: como una orientación para la observación y conocimiento de la persona.

Ser cariñosos

Asumir significa también ser cariñosos unos con otros, especialmente con los más difíciles. Ser cariñosos significa conducirse con un corazón afectuoso, en el trato con los demás. Significa ser amable y bondadoso, en sentimientos y actitudes, con los que nos rodean.

No hay normas para ser cariñosos. Es diferente ser cariñoso que hacer cariño. Ser cariñoso significa, en definitiva, que el otro, a partir de mi trato con él, percibe que yo estoy con él. Es una corriente sensible, cálida y profunda.

Hay gestos que, inequívocamente, son portadores de cariño: una sonrisa, una breve visita, una pregunta sincera, "cómo amaneció", "cómo se siente hoy", un pequeño servicio, el vivir con el corazón en la mano. ¡Es tan fácil hacer feliz a una persona! Basta una palabra, un gesto, una sonrisa, una mirada. ¡Qué linda "profesión" ésta de hacer felices a los demás, siquiera sea por un momento! Llevar un vaso de alegría al prójimo ¡qué tarea tan fácil y sublime!

¡Qué cosa estupenda el acercarse a un hermano deprimido y ofrecerle una palabra de esperanza: no tengas miedo; todo pasará; cuenta conmigo; mañana será mejor! Para ser cariñoso, lo único que se necesita es *no estar* consigo mismo, sino salirse para estar con los demás.

San Francisco dice a los hermanos: si cualquiera madre se preocupa y cuida al hijo de sus entrañas, con cuánta más razón aquellos hermanos que nacieron de un mismo espíritu, deberán amarse y cuidarse mutuamente, con cariño. Y les agrega estas palabras:

Quiero que todos los hermanos
se comporten
como hijos
de una misma madre.

* * *

Todo lo que es vida necesita, para germinar y madurar, el calor circundante. Una pera, un racimo de uvas o el fruto de la zarzamora nunca llegarán a la sazón si el calor solar no penetra en sus entrañas. En los nidos que las golondrinas construyen en los claustros de las catedrales los huevos fecundados nunca se transformarían en vida si la hembra no se posara sobre ellos durante veintidos días, con treinta y ocho grados de calor.

Asimismo, los seres humanos de una comunidad, para conseguir la madurez adulta y ser fecundos, necesitan también habitar en una atmósfera cálida, impregnada de cariño.

* * *

Amar es *perder el tiempo* con el hermano. Hoy día todo el mundo vive con el agua al cuello y la lengua afuera. Corremos *contra el reloj*, como dicen los deportistas.

Hay peligro de que cada individuo se pierda en el bosque de sus actividades, bastante desordenadas, generalmente. Amar implica perder el tiempo.

Perder tiempo significa dedicar fragmentos de tiempo a los demás sin un porqué, sin una utilidad concreta. Es tan fácil. Basta hacerse un hueco, buscar al otro, sentarse a su lado, preguntarle cómo van sus compromisos, cómo se siente de salud…

Amar es *celebrar*. Con esta noble expresión no quiero significar aquella elevada actitud de apreciar y proclamar la existencia del hermano sino otra actitud doméstica. Cualquier miembro de la comunidad tiene actuaciones brillantes. No cuesta nada descorchar un champagne o comprar una torta con ocasión de uno de estos éxitos. Celebrando el éxito, estamos, de hecho, enalteciendo la persona del hermano. ¿Falta de pobreza? Me parece que, si alguna vez no se debe tener escrúpulo para descuidar un poco la economía doméstica, es cuando andan de por medio los valores fraternos.

Amar es *estimular*. Son los pusilánimes los que necesitan de estímulo. Pero no sólo ellos. Frecuentemente las personalidades optimistas pasan períodos de postración y necesitan reanimación.

Es tan fácil estimular cuando se vive para el otro.

Basta felicitarlo por un éxito, comunicarle una buena noticia, diciéndole, por ejemplo: el otro día se hicieron de ti estos elogios; todo el mundo está contento de ti; tu actuación despertó una aprobación unánime...

* * *

Por la vivencia de las relaciones interpersonales, la comunidad acabará por transformarse en un hogar. Esta transformación constituye el ideal más alto y el fruto maduro del amor fraterno.

Hogar no significa, tan sólo, vivir juntos, padres e hijos, bajo el alero de una casa, sino que es una realidad humana, difícil de analizar. Es algo así como una atmósfera espiritual, impregnada de gozo, intimidad, confianza y seguridad que envuelve y penetra las personas y su relacionamiento. Ese es el fruto maduro de la fraternidad.

* * *

Abiertos unos a otros no hay motivos de reservas ni reticencias. Sinceros y leales, poco a poco los miembros van tejiendo un ambiente de acogida mutua. La confianza crece como un alto terebinto para cobijar bajo su sombra a todos los hijos de la casa.

Los enfermos son tratados con preferencia y predilección.

A los ancianos se les mira con veneración, se les prodiga consolación, se les manifiesta gratitud porque ellos ya soportaron el peso y el calor del día.

A los hermanos que sufren una crisis de vocación se les trata tanto con respeto como con comprensión. Todos los que sufren un drama necesitan proximidad, afecto y consolación.

De esta manera, igual que, en un hogar, todos y cada uno de los hermanos viven las alternativas de todos y cada uno de los demás. ¡Qué cosa admirable y estupenda cuando los hermanos viven así, unidos bajo un mismo alero!

* * *

CONCLUSIÓN

SUBE CONMIGO

Tú que esperas
y que, en tu espera, a veces
te sientes como una tenue
neblina, anclada
en el fondo oscuro del tiempo,
no desfallezcas.

Pues desde el fondo mismo del Tiempo,
como un puño enorme,
avanza, inexorable, a tu encuentro,
la Esperanza.

Anónimo.

• Dame la mano, hermano. Necesito de ti, necesitas de mí. Si estás solo, y caes, temo que nadie te levante. Si estoy solo, y me sorprende la noche, temo ser devorado por el miedo. Dame la mano y sube conmigo. Si estás conmigo, si estoy contigo, somos como esa muralla, como aquel roble.

• Ayer, cuando amaneciste, una tenue sombra velaba tus ojos. Se te veía triste. Ya sé cuál fue la preocupación que turbó tu sueño. Te dije: hermano, la noche, con su manto de misericordia, cubrirá piadosamente tu tristeza, y mañana será mejor. Hoy, estoy observando que ya se desvaneció la sombra de sobre tus ojos. Me siento feliz por eso.

• ¿Qué podemos hacer por fulano? Tú me decías que, antes, él no era así. Siempre nos topamos con la muralla ciega del misterio humano. Aquel hombre que conocimos, erecto como un álamo e inmune a la acción de los vientos, desde que dejó la coordinación provincial, no consigue encontrarse a sí mismo ni acierta a dar con su centro.

Hace un mes me acerqué a él e intenté entrar en el recinto de su intimidad, pero lo hice con tanta timidez y tan poca naturalidad que los dos quedamos con un secreto disgusto. Hace unos días hice un nuevo intento. Le costó abrirse, al principio no se sentía cómodo. Yo tampoco. Luego entramos en la región de la cordialidad. Al final, me declaró, emocionado y agradecido: la llave de oro está en nuestras manos; si supiéramos preocuparnos unos por otros, habría una aurora para cada crisis. Eso me dijo.

• Estás preocupado por el caso del coordinador de la comunidad. Siempre me dices que tienes la impresión de que el traje le cae demasiado ancho. De mi parte, tengo la impresión de que nuestro hermano navega sobre las encontradas aguas de su timidez innata, un gran respeto a la autonomía ajena y una carencia completa de coraje.

Pero aquí hay otra cosa. Tú te preguntabas el otro día: ¿qué misterio es éste? Al mejor amigo, entre nuestros compañeros, lo visten de autoridad, y yo no sé qué pasa: queda tan distante, se evapora la confianza, nos miramos como extraños y uno hasta se coloca a la defensiva como quien espera la acción de un eventual enemigo.

¿Quién entiende esto? ¿Quién se aleja? A veces pienso que se trata de nuestra innata prevención a toda autoridad, prevención que, por otra parte, no deja de ser un arma defensiva. Alguien, para explicar el caso, comentaba el otro día que lo divino parece exigir distancia y diferencia, y que la autoridad genera inconscientemente un endiosamiento embrionario. Yo no creo en eso. Al contrario; creo que, en este mundo, todo el que ejerce un cargo de responsabilidad, es un ser solitario. Distancia y aislamiento no son cosas agradables para nadie, y nadie opta por esa vía. Si hay algún culpable en todo este fenómeno, somos nosotros. Todas las mañanas, al rayar el alba, deberíamos aproximarnos al coordinador para decirle: sube conmigo.

•Me dices que, a veces, no me comprendes y que, inclusive, alguna vez te parezco enigmático. ¿Qué será? Tú mismo me decías que, muchas veces, duermes bien y amaneces cansado. Otras veces, duermes mal y despiertas alegre. No hay geometría en el ser humano, ni en su morfología ni en su psicología. La vida, jamás y en ninguna de sus formas, tiene líneas rectas. ¿Que a veces te parezco extraño? ¿Me comprenderé yo a mí mismo? Soy yo mismo quien, a veces, me parezco extraño a mí mismo. ¡Qué espléndida definición del hombre, la de Alexis Carrel, cuando dice: *el hombre, ese desconocido*!

Cuando uno se sumerge un poco en su propio abismo, uno tiene la impresión de estar ante un universo sin contornos, lleno de misterio y complejidad. Desde las profundidades vienen los impulsos y tú no sabes en qué latitudes nacen y a dónde te llevan. A veces da miedo el enigma del hombre. Soy sincero contigo, y mis puertas están abiertas al máximo cuadrante posible. Pero así y todo, ciertos niveles de intimidad, aun los conscientes, no se los abrimos absolutamente a nadie en este mundo. De otra manera perderíamos los segmentos más sagrados de nuestro misterio. Las zonas más íntimas de nuestra experiencia histórica dormirán con nosotros en la sepultura. Tal vez por eso encuentras en mi personalidad algunos destellos de enigma.

• ¡Es una criatura!, repites tú siempre. Es, la fraternidad, como un niño delicado y sensible a las oscilaciones de la salud.

¿Recuerdas qué sucedió hace un año? Un arranque agitado de un individuo fue suficiente para dejar la confianza doméstica, colgada de un abismo. La paz huyó como una paloma asustada. Siguieron tres o cuatro semanas nubladas. La misa de fraternidad de una noche, con aquella sincera intercomunicación a la hora de la homilía, operó un prodigio que no entra en los parámetros psicológicos. De la misa fuimos a cenar y ¡qué diferente atmósfera!, ¡qué alivio! No tiene explicación humana.

Aquel clima de serenidad duró varios meses. En aquella reunión que tuvimos para organizar los trabajos del año, tocamos aquel asunto desdichado que era vital, y no se podía eludir. Aparecieron tantos criterios como cabezas, y tantas cabezas como intereses personales. No se dialogó. Se discutió. Algo importante e infeliz sucedió en nuestros niveles interiores. Desde entonces tenemos la impresión de que, allá, se quebró algo tan vital como la médula espinal. Todavía hoy, nuestras palabras son calculadas y nuestras miradas inseguras. Tenemos, sin embargo, la esperanza de que, también esta situación, se solucionará pronto.

Hace tiempo, en una oportunidad semejante, el clima de desconfianza fue sanado en una tarde de oración. Una otra vez, la humilde sinceridad de uno de los hermanos puso tranquilidad y paz. ¿Recuerdas aquello de hace tres años? Aquella desavenencia que arrastrasteis por largo tiempo tú y aquel otro sujeto que ya no está entre nosotros..., ¡qué mal nos sentíamos todos!, ¡qué desventurada nube cubrió nuestro hogar por culpa de vosotros dos! La misericordia del Padre os dio, al fin, la gracia y potencia para acabar con aquello. Nunca podías imaginar qué sensación de descanso sentimos todos.

Realmente es, la fraternidad, un vaso frágil en nuestras manos. O, como dices tú, una criatura sumamente sensible a las alteraciones de salud. Mejor aún; no existe la fraternidad. Ella nunca es un edificio acabado, o un árbol que creció alto o una criatura a quien se le dio a luz por completo. La fraternidad es un comenzar todos los días. Todos los días hay que cuidarla y cultivarla como una delicada planta. Hay que curarla frecuentemente como a un niño herido.

Un día nos sentamos en el *hall* de la casa para pensar un poco sobre nuestra vida. Dijimos: vamos a inventar recetas para la "medicina" fraterna. Uno dijo: el secreto está en no tomar ninguna decisión cuando se está en crisis. Todo consiste, dijo otro, en esconder la lengua cuando, en un altercado, entramos en el círculo de fuego. Un tercero añadió: el secreto está en saber que aun los casos imposibles son posibles. Todo consiste, dijo otro, en mantener la cabeza fría y en no desmayarse cuando navegamos sobre las olas de la tormenta, que siempre es transitoria. Un último añadía: lo importante es no asustarse cuando llega un marcha atrás en el crecimiento.

• Todos los días me repites lo mismo: si supiéramos juzgarnos... Yo también digo siempre: el primer don del Espíritu Santo es la autocrítica.

Hace unas semanas tuvimos aquella revisión de vida. Cuando yo observaba cómo se defendía fulano (tú sabes de quién se trata) montado sobre el potro de la racionalización, yo pensaba: ¡qué ciego está!, ¡qué manera de cerrar los ojos a la luz y a la evidencia! Siempre te dije: que el Padre nos conceda la gracia de (por lo menos) dudar de nuestra posición cuando alguien nos critica. Pero hoy te digo más: estaremos eternamente hundidos en la noche de la miopía y de la mentira hasta que abramos los ojos y reconozcamos como el publicano: soy "pecador", necesito cambiar, ¡ayúdenme!

Tú conoces muy bien al hermano de esta casa, que decía a otro: si quieres demostrarme que me amas, avísame, por favor, todo aquello que tú (o la comunidad) observes de incorrecto en mi comportamiento. Cuando me lo digas, seguramente yo voy a montar en cólera.

No importa, aguántame y dímelo. Bienaventurados los que proceden de esta manera porque ellos ya pertenecen al reino de los cielos. El índice más seguro para medir la madurez humana es la capacidad de absorber con paz las críticas de los demás.

Concédenos, Señor, el don de la sabiduría y de la autocrítica.

• Nunca acabamos por conocernos. Qué interesantes observaciones salieron a luz en aquel paseo que hicimos el otro día.

Es verdad. Todos llevamos algún niño escondido entre los repliegues de nuestro ser. Tú me hablabas de fulano. Me decías que no podías comprender cómo una personalidad tan colmada y madura como es él pudo tener aquella reacción del otro día. Yo te hacía una observación semejante respecto de otro individuo, poseedor también de una madurez poco común. ¡Otra vez el misterio del hombre! Nadie es adulto en todos los terrenos, todos los rasgos y todas las reacciones. Repito: aun en las personalidades más adultas vive un niño que, de pronto, asoma su carita por la ventana menos prevista.

Esto, para la hora de la comprensión: para no asustarnos.

• Lo que hablamos en la tarde del último domingo no se me quita de la cabeza.

Cuando yo hice aquel recorrido mental por las diferentes comunidades que conocemos, al detenernos a analizar aquella determinada comunidad, tú me dijiste algo que me causó consternación, y todavía no se me pasa el susto. Me dijiste: entre las diversas comunidades, de pronto encontramos uno que otro individuo que es un *caso acabado*. No hay nada que hacer. Morirá así. Nunca se le debió haber dado el "pase". Y añadiste: nosotros no debemos capitular, al contrario, debemos seguir asumiéndolo, pero sabiendo de antemano que todo está perdido.

Al escucharte, yo quedé mudo. Tímidamente te dije: no tengo seguridad para decirte que no es así ni para decirte que es así. Pero ahora te digo: si así fuera, ciertas comunidades habrían sido *elegidas* por el Padre para transportar una pesada cruz. Y la cruz es luz, sólo cuando se la mira con paz. Los miembros de tal comunidad deberán mirar e interpretar al supuesto sujeto como un "regalo especial" del Padre y como un misterio doloroso de la vida. Sólo de esta manera podrán sortear el escollo del desaliento.

• Fue interesante nuestra discusión. Tú decías que la paciencia es el arte de esperar. Yo te contestaba que la paciencia es el arte de saber. Quién sabe si, en el fondo, ambas expresiones encierran el mismo meollo.

Comentábamos que algunas gentes no "creen" en la fraternidad porque los sucesivos fracasos las desalentaron. Y se desalentaron porque se impacientaron. Y se impacientaron por no *saber*, y aceptar con paz, el hecho de que toda la vida, desde el embrión hasta el fruto maduro, avanza lenta y evolutivamente. No hay saltos en la vida. Hay pasos.

La historia de un grano de trigo es admirable. Cae en la tierra. Se sumerge en ella. Muere. Nace y sale al aire, que es su campo de combate. Enseguida encuentra enemigos, comenzando por las nieves y escarchas. Para no perecer, el joven trigo se agarra obstinadamente a la vida y sobrevive. Llegan temperaturas bajísimas, capaces de quemar toda vida; y el pobre trigo, tan tierno todavía, de nuevo se agarra a la vida con una obstinada perseverancia. Va pasando el invierno, el trigo va venciendo, uno por uno, los obstáculos. Llega la primavera, el trigo levanta la cabeza y comienza a escalar velozmente la pendiente de la vida. Llega el verano y ¡qué prodigio!, aquel humilde grano se ha transformado en un esbelto y elegante tallo, coronado por una espiga dorada con cien granos de oro.

Si los miembros de las comunidades tuvieran tanta paciencia como el grano de trigo...

• Para terminar, he aquí el significado de la portada de este libro.

Estamos levantando el muro de la fraternidad con piedras desiguales. Algunas son redondas como lunas llenas. Otras son puntiagudas. Algunas parecen cortadas a plomada, otras son perfectas formas geométricas. Las hay también informes.

Cada piedra tiene su historia. Las redondas provienen de los ríos. Ellas rodaron durante muchos años en el seno de las corrientes sonoras. Otras fueron cantos rodados, bajando por las pendientes de las montañas.

Algunas fueron extraídas expresamente de las canteras ardientes.

Todas ellas son tan diferentes por sus orígenes, historia y formas, de la misma manera que los miembros de la comunidad que vienen de diversos hogares, latitudes, continentes, con sus historias inéditas y personalidades únicas.

Con tan peculiares personalidades, todas las piedras tuvieron que adoptar posiciones apropiadas para ajustarse a las formas, tan diferentes, de las demás piedras. Se hizo un esfuerzo sostenido de adaptación. Muchas de ellas recibieron golpes y perdieron ángulos de personalidad para poder ajustarse mejor. Todas se apoyan mutuamente. Unas sostienen a las otras. Las grandes reciben gran parte de la presión del muro. Cada una respeta la forma de la otra. Se amó mucho porque se dio mucha vida.

No fue tarea fácil. Un muro de cal y canto se levanta con facilidad. Suben también rápidamente las paredes construidas con piedras cuadradas o bloques de cemento. Pero para construir un muro sólido con piedras tan dispares se necesitó de una ardiente paciencia y de una esperanza inquebrantable. A pesar de todo, si el Señor no hubiera estado con nosotros, de nada hubiera servido el esfuerzo de los albañiles.

He aquí la historia de una fraternidad. Es, también, el significado de la portada de nuestro libro.

Los que pasan por delante de nuestra edificación se alejan repitiendo: ésta es obra del Señor.

MÁS ALLÁ

Más allá del Silencio, la Armonía.
Más allá de las Formas, la Presencia.
Más allá de la Vida, la Existencia.
Más allá de los Gozos, la Alegría.

Más allá de la Fuerza, la Energía.
Más allá de lo Puro, la Inocencia.
Más allá de la Luz, la Transparencia.
Más allá de la Muerte, la Agonía.

Más allá, más allá, siempre adelante.
Más allá, en lo Absoluto, en lo Distante,
donde la llama se apartó del leño

a fulgir, por sí misma, en la figura
de un Infinito, ya sin amargura.
Y más allá de lo Infinito, el Sueño.

Germán Pardo García

ÍNDICE

Se terminó de imprimir en los talleres de
EDITORIAL ALBA, S.A. DE C.V.
Calle Alba 1914, San Pedrito, Tlaquepaque, Jal.
el 31 de octubre de 2013. Se imprimieron
2,000 ejemplares, más sobrantes para reposición.